国家出版基金项目
NATIONAL PUBLICATION FOUNDATION

《三联经典文库》

第二辑

2012年国家出版基金项目

三联经典文库

194

美国黑人生活纪实

[美] 加德维尔　斯坦倍克　著　　董秋斯　译

生活·讀書·新知 三联书店

图书在版编目(CIP)数据

美国黑人生活纪实 / (美) 加德维尔, (美) 斯坦倍克著；董秋斯译. -- 北京：生活·读书·新知三联书店，2014.1
（三联经典文库第二辑）
ISBN 978-7-108-04692-5

Ⅰ. ①美… Ⅱ. ①加… ②斯… ③董… Ⅲ. ①小说集－美国－现代 Ⅳ. ①I712.45

中国版本图书馆CIP数据核字(2013)第246628号

194 美国黑人生活纪实

责任编辑 邵慧敏
封扉设计 蔡立国
责任印制 徐 方
出版发行 生活·讀書·新知 三联书店
(北京市东城区美术馆东街22号)
邮 编 100010
经 销 新华书店
印 刷 北京鹏润伟业印刷有限公司
版 次 2014年1月北京第1版 2014年1月北京第1次印刷
开 本 787毫米×1092毫米 1/32 印张 4.625
字 数 61千字
定 价 17.00元

《三联经典文库》出版缘起

适逢生活·读书·新知三联书店八十华诞，为弘扬传统，接续文脉，回报读者，服务社会，我们决定策划出版《三联经典文库》。

1932年7月，生活书店在上海创办，此后，读书出版社和新知书店相继成立。本文库第一辑、第二辑所选图书，来自于这三家出版单位及其分支机构，以及1948年生活·读书·新知三联书店成立后的出版物，始于1932年，截至1951年，两辑各一百种。此为第二辑，涉及政治、经济、社会、军事、思想文化诸领域，涵盖专著、文集、散文、小说、诗歌、传记、报道等体裁，既有直面现实、追求真理、讴歌真善美、抨击假恶丑的原创作品，又有引介世界各国先进文化、传播新知、开启民智的迻译之作，真实记录了那一代知识分子的思考与探索、理想与愿景和对中华民族文化传承与创新所做出的努力与贡献。

本文库所辑入各书，多为名家名作，在版本方面，以初版一印本或经著译编者审定、修订、增订过的版本为首选，因此本文库又具有较为珍贵的版本价值和收藏价值。

本文库还将编选续辑，使之成为恢弘文化工程。诚挚希望读者给予批评和指正，帮助我们完善编选工作，再现三联经典作品之风采。殊为遗憾的是，由于年代久远，一些原著译编者及其后人未能取得联系并奉付稿酬，诚盼版权所有者与我们联系。祈愿三联前辈所创造的精神财富能薪火相传，为中华文化的伟大复兴增光添彩。

《三联经典文库》编辑委员会

2013 年 8 月

凡　例

一、本文库为重排本，由繁体字竖排版改为简体字横排版。

一、以忠实于原作、整旧如旧为编辑原则，对当时使用的专有名词、外文译名，以及民国时期的语言和特色予以保留。

一、原书注释如旧，编者所出的注释，均以“编者注”标明，以示与原书注释的区别。

一、对原书残缺或字迹漫漶之处，以□示代。

一、对繁简文本转换时的“如右”、“见左”一类，对应改为“如上（前）”、“见下（后）”。

一、对原书中各种错讹脱衍之处，直接订正，不再以其他符号标示。

一、对数字、标点符号的用法，在不损害原文语义的情况下，做必要的规范。

一、本文库各书均前插原书书影、原书版权页和文库版“本书出版说明”。

一、本书出版说明的撰写，以客观中立为原则，扼要介绍本书的内容、版本流转、著译编者的情况。

本书出版说明

本书是一本短篇小说作品集，其中包括美国作家E. 加德维尔（Erskine Caldwell）的五篇短篇小说和J. 斯坦倍克（John Steinbeck）的一篇。小说主要描写二十世纪初期美国黑人的悲惨生活，涉及贫困和种族歧视等社会问题。译者将这些社会问题的根源归结于美国的资本主义经济制度，意图通过美国本土作家的作品进一步揭示美国当时所宣扬的民主与自由的虚伪面。本书最后还附加了作者撰写的一篇书评——《自由的道路》，作为全书主旨的补充。

本书由生活 · 读书 · 新知三联书店于1951年2月初版，此次出版即以此版本为底本。

E. 加德维尔（1903-1987），美国作家，出生于佐治亚州。他擅长描写美国南部底层人民生活，作品特别关注贫困的白人以及黑人的生存状况。代表作有《烟草路》、《上帝的小块土地》等。

J. 斯坦倍克（1902-1968），美国作家，出生于加利福尼亚州。曾凭借小说《愤怒的葡萄》获普利策奖，以及《人鼠之间》获诺贝尔文学奖。

译者董秋斯（1899-1969），原名董绍明，天津静海人。1926年毕业于燕京大学哲学系，同年底参加北伐战争。1945年开始发表作品。1949年后，历任上海翻译工作者协会主席、《翻译》月刊主编、中国作协编审、《世界文学》副主编等职。主要译作有《大卫·科波菲尔》、《高原牛的家》、《战争与和平》、《杰克·伦敦传》、《红马驹》、《跪在上升的太阳下》、《卡尔·马克思》、《佳作》、《马背上的水手》、《烟草路》等。

生活·读书·新知三联书店

2013年8月

1951 年 2 月初版书影

895·Q470·32K·P.118·¥3,800

一九五一年二月初版
星光印刷廠承印
北京造00001—10000册

·發　行　者·
三聯·中華·商務·開明·聯營
聯　合　組　織
中國圖書發行公司
·各　地　分　店·
三聯書店　中華書局　商務印書館
開明書店　聯營書店

原书版权页

目次

写在卷首的几句话

为了抗美、援朝、保家、卫国，我们仇视、蔑视、鄙视美帝国主义者的运动，已经以各种方式，在各种场合，轰轰烈烈地展开了。不错，这是一种宣传。不过我们的宣传与帝国主义者的宣传有一个根本不同之点，那就是：帝国主义者的宣传不是歪曲事实，颠倒黑白，就是造谣诬蔑，无中生有；我们的宣传则完全从客观的事实出发，可以说，“无一字无来历”。

美帝国主义者的罪状是数说不尽的，其中有它百词莫解的一端，那就是它多年来加于黑种人的迫害。任何时我们提出这一个问题，就会使得美帝那些能言善辩的代言人俯首无词，羞愧难当；也使得他们所有花言巧语褪尽了颜色，露出了本来的丑态。

收在这个小册子里的，是反映美国黑人生活的几篇小说，并不是什么宣传文章。这几篇小说的作者，虽然具有一定的正义感，但不并是最进步的作家，有时甚至显露动摇和退却的痕迹。他们的写作态度，至多只能说是批判的现实主义，实际上具有很重的自然主义意味。因此，作为宣传文章来看，它们是不明确的，没有力量的。若作为文学作品来看呢，它们都不免有相当严重的缺点。但是，也正因为这样，它们对于美帝国主义者所说的“民主个人主义者”，对美帝国主义者怀抱一定幻想的人，具有更大的说服力。因为这是他们“自家人”用他们所信仰的写作方式写出来的呀。

尽管我们说这几篇小说写得不够明朗，但是，在暴露了美帝残酷丑恶的本来面目以外，它们也清清楚楚地说明了以下几点事实：

一、美国的黑人问题，不是一个种族问题或肤色问题，基本上是一个经济问题，是独占资产阶级榨取劳动者的问题。应有的推论自然是：只有推翻资产阶级的革命，才能从根本上解决这个问题。

二、美帝国主义者在国内所迫害的，断乎不以黑人为限，失去生产手段的白种人民大众，所受到的待遇并不比黑人受到的好多少。因此，美帝喉舌津津乐道的“民主和自由”，就是对白种人民大众来说，也完全是一句谎话。

三、美国现代的黑人，不再是《黑奴吁天录》中的老陶牧了。他们不再是捏着鼻子死受的奴隶，他们对自身的力量有了自觉和自信，他们公然对压迫他们的人表示了反抗的决心。

美国黑人有一千五百万，占美国全人口的十分之一。就是不把广大的受压迫的白种人民计算在内，一个国家有十分之一的人口没有民主，没有自由，以至没有生路，能算是一个民主的自由的国家吗？它的“生活方式”还有什么可夸之处呢？

我国有一句古语，“多行不义必自毙。”美帝国主义者不但压榨他本国的黑种人，也压榨他本国的白种人，同时更要侵略全世界各种族的人民。美国黑白两种人民正在觉醒中，全世界的人民正在觉醒中。各种迹象表明，全世界广大人民连起手来，向美帝国主义者算最后一次账，然后把他送进坟墓，断乎不是很遥远的事。我们可以预言，美国黑人将是我们队伍中很坚决很有力的一部分。

本书最后一篇书评，是我在一九四八年为《中国建设》月刊写的。因为所评论的是观点比较正确的一篇小说，可以补充前面几篇不明确不充分的地方，附加在这里，我希望可以略具“画龙点睛”的意思。

这几篇小说的作者，加德维尔和斯坦倍克，在我所译的《烟草路》，《相持》，《红马驹》三部小说中附有或详或略的介绍，这里不再赘述了。

末后，这几篇小说都是我三四年前译出的，曾经收入《跪在上升的太阳下》的集子里，这一次把它们分出来，完全是为了响应当前的反美运动。因为分量少，或者可以更容易普及一些。

董秋斯　一九五〇年十一月廿四日

跪在上升的太阳下

E. 加德维尔

I

一个寒颤透过朗尼全身。他把手从他那瘦削的下颔移开，记起了克伦说过的话，这记忆使他现时觉得，他站在阿契 · 甘诺德面前，让他的脸被人看见，仿佛是在犯罪。

在那个下午，他和克伦同路去加油站，他当时对克伦说，他怎样迫切地需要口粮。克伦停了一会儿，把一块石头从路上踢开，然后说，假如你替阿契 · 甘诺德作工久了，你的脸可以瘦得劈开你自己的棺材板。

朗尼转过身来，坐在汽油唧筒旁的空箱子上，这时他不禁希望他能像克伦一样不怕阿契 · 甘诺德。克伦虽然是一个黑人，在他需要东西吃时，他绝不迟疑地去要口粮；当他和他的家人所得不足数时，克伦一直去向阿契声明。阿契忍受下来，不过他发誓说一得到机会，他就要把克伦从那地方赶出去。

朗尼不待转身便知道，克伦同两三个别的黑人站在加油站的一端，并且在看他。不过为了某种理由他不能面对克伦的眼睛。

阿契·甘诺德站在阳光中，向靴筒上磨他的折刀。他一再看朗尼那条卧在路中央等着朗尼回家的猎犬南子。

“那是你的狗吧，朗尼？”

朗尼吓了一跳，手伸向下颌，遮起那会控诉阿契克扣口粮的瘦脸。

阿契劈劈拍拍地搓手指，猎犬摇着尾巴站起来，等待招呼。

“阿契先生，我——”

阿契叫狗。狗开始伏地爬向他们，阿契的手指每响一次，它的尾巴摇得更快一点。当它相距几尺时，它仰过来，四爪朝天躺在地上。

在加油站附近逗留的达德雷·斯密士和吉木·维渥尔笑了。他们方才倚在墙上，这时挺起身子看阿契要作什么了。

阿契把更多的烟草汁吐在靴筒上，又磨了磨那把折刀。

“不拘怎样，那是一条什么狗呵，朗尼？”阿契说道，“在我看来，这可能是一条捉狗呢。”

朗尼觉得出克伦·亨利的眼光钻进他的后脑。假如阿契·甘诺德向克伦的狗搓手指，并且像这样称呼它，他不知道克伦会作什么。

“它的尾巴在一只狸狗或鸟狗未免太长了，是不是，阿契？”朗尼身后什么人高声笑着说道。

这时大家都笑了，连阿契也在内。他们看朗尼，等来听他对阿契说什么。

“这是一头捉狗吗，朗尼？”阿契又搓着手指说道。

“阿契先生，我——”

“假如他没有作鸟狗或狸狗的影子，你也不必为了它害羞呵，朗尼，每个人住宅附近都要有一条狗，当你急需猪和兔子时，可以由它去捉呀。捉狗是一种很高尚的动物，我过去也曾以有一头自豪呢。”

大家都笑了。

阿契·甘诺德就要去捉南子的尾巴了。朗尼坐起来。把脖子扭到他触及加油站另一端的克伦·亨利的眼光。克伦带着不含糊的意义看他，他那天下午说，替阿契作工的人都不应当忍受短少的口粮，他这时眼中含有说话时同一的神气。朗尼低下头。他想不出一个黑人怎能比他更勇敢。像这样的时候是很多的，他肯牺牲他所有的一切来同他换一换位置呢。

“你这条狗的毛病，朗尼，是它的脚上太重了。替它减轻一点重量，使它变成捉狗，这办法你不以为很好吗？”

这时朗尼记起，克伦·亨利说过，假如阿契·甘诺德什么时候割去他的狗的尾巴，他会作什么。朗尼知道，克伦也知道，别人也都知道，那就会把阿契所等待的机会给了他。他曾经说过，只要克伦略一侵犯他的地盘，或略一同他顶嘴，他便作其余的一切。大家都知道阿契话中的意义，假如克伦不转身而逃，那就更加显然了。而克伦在本地住了十五年，从来不曾逃避任何人呢。

当朗尼惊服克伦时，阿契伸手捉住南子的尾巴。南子好像以为阿契同它玩耍。它回过头来舐阿契的手。他用刀柄敲它的鼻梁。

“这是一条很好玩的狗，朗尼，”阿契一面说，一面捉得更近尾巴根，“不过，像它这样大的狗，特别当它要作捉狗时，它的尾巴就太长了。”

朗尼艰难地咽唾沫。

“阿契先生，这是一条很好的追兔狗呵。我——”

“不要说啦，朗尼，”阿契一面说，一面在狗尾巴上磨刀刃，“我一生从来不曾见过一条需要这末长的尾巴来捉兔子的猎犬，在一条普普通通的捉狗，这尾巴是太长了。”

朗尼无望地看达德雷·斯密士和别的人们。他们都不肯作任何帮助。由他来阻止阿契是没有用处的，因为，阿契·甘诺德一旦决心要作一件事，他不肯受任何阻挠。朗尼知道，假如他略一表示忿怒或怨恨，阿契会在当晚日落以前把他赶出农场去。克伦·亨利是唯一肯帮助他的人，不过克伦……

加油站两边的白种人和黑种人都等来看朗尼要作什

么。他们大家都希望他会为他的狗斗争一番。假如任何人有阻止阿契割断狗尾巴的勇气，就不会有这种事了。不过，事实很显然，阿契的佃户之一的朗尼怕说话。克伦·亨利可能那样作；克伦是唯一可能去阻止阿契的人，即使引起纠纷，也在所不顾。他们都知道，阿契会擘持驱逐克伦出境，或用乱枪打死他。

“我相信你没有问题了，是不是，朗尼？”阿契说道，“我似乎未听见任何反对。”

克伦·亨利向前走了几步，然后停下来。

阿契看着朗尼的脸笑了，同时把南子扯起来。那条猎犬又痛又惊地叫起来，阿契下死力踢它，使它不能出声。

朗尼退缩了。他不能忍心看任何人像那样踢他的狗。

“阿契先生，我……”

他的喉咙的收缩几乎使他有一些时候不能出气，他不得不张大嘴用力呼吸。他周围的别的白种人都不出声。没有人喜欢看一条狗像那样捱踢。

朗尼可以从眼角上看见加油站的另一端。他看见有几个黑种人走到克伦后面，握住他的工人裤，克伦向张开的两脚中间的地上吐唾沫，但他无意从他们手中挣脱。

“既然我不听见反对，我相信割掉它是没有问题了。”阿契一面说，一面吐唾沫。

朗尼的头俯向前方，他只能看见南子的后脚。他原是来乞求一片腌猪肉和一点糖酱，或别的什么。现时，不拘家里的人们饿得多末厉害，他不知道他能否有请求口粮的决心了。

“我总要先征求同意，”阿契说道，“假如有人反对，我便不要冒冒失失地割一条尾巴。那是不对的。不，你老，那断乎不是天公地道的。”

阿契把狗尾握紧，把刀刃放在离臂部两三寸的地方。在那些旁观者眼中，仿佛他嘴里在分泌唾液，因为烟汁开始流下他的嘴角。他抬起手背来擦嘴。

一辆喧声很大的汽车从红色的深沙上开来。当它开过时，大家都抬起头来，看车上是谁。

朗尼看了一眼，但他抬不起眼睛来。他的头又垂下来。垂到他觉得他那瘦削的下颌刺进他的胸膛。他当时想知道阿契是否注意到他的脸是多末瘦。

“我在舍下养有两三条捉狗，”阿契一面说，一面在狗尾巴上磨刀刃，仿佛那是一条磨刀皮带，惹得围拢他的人们都露出笑容，“不过我断乎看不出捉狗有长尾巴的道理。当我打发它们去捉一头猪或一头兔子来作晚餐时，长尾巴只能妨碍它们。”

一面用左手拉，一面用右手推，阿契·甘诺德割下那条狗尾巴来，割得那末快，那末容易，仿佛他在牧场上割一支赶牛回家的柳条软鞭。尾巴一松开那条狗便向前跳去，跳出阿契手伸得到的地方，开始嚎叫起来，叫得那末大声，半哩以内都可以听见了。南子停下一次，向后看阿契，随即跳向路中央，一面跳跃，一面转圈子。它不断地嚎叫，不断地咬它那流血的尾巴根。

阿契仰起身子，一只手旋转那条切断的尾巴，一面向靴筒上擦折刀刃。他看那在红沙土中转着圈子追自己的朗尼的狗。

当时大家都无话可说。朗尼尽可能不看他的狗的痛楚，也强迫自己不看克伦·亨利。随后，他闭着眼睛想，他为什么这些年留在阿契·甘诺德的农场上，依短少的口粮为生，不断地瘦下去。他这时知道，克伦所说，阿契的佃户们的脸会瘦得足以削自己的棺材板，这话是多末真实。当他摸到牙床骨时，他的手垂下来，露出双颊的腱子。

像他这样饥饿，他知道，即使阿契当时给他一些口粮，也断乎不够他们下一个星期吃。他的老婆海提已经饿坏了，还在田里作工，他的父亲马可·牛桑耳聋了上二十年，总在问他，为什么家里永远没有足够的粮食，可以使他们结结实实地吃一顿。朗尼的头更向前垂下一点，他觉得出他的眼睛变湿了。

他那瘦削的下颔压在胸膛上，使他非常不舒服，他不得不终于抬起头来，以减轻他的痛苦。

当他抬起头来时，他首先看见的是阿契·甘诺德在左手里转南子的尾巴。阿契·甘诺德家中有满满一箱狗尾巴。自从有人记得起的时候起，他已经在割狗尾巴，在那许多年间，他已经收集了一大批，他是那末以此自豪，他把那个箱子锁起来，把钥匙用绳子悬在他的脖子上。在星期日下午，当传教士造访时。或当成群的人在前廊上偃卧讲故事时阿契便把这些东西陈列出来，从记忆中指名每一条尾巴，仿佛他在上面附有签条一般。

克伦·亨利已经离开加油站，独自走向去农场的大路。克伦·亨利的住处在阿契的大房子下面一簇黑人木屋中，他回去时必须经过朗尼的房子。朗尼正要起身离开，他看见阿契在看他。他不知阿契是看他的瘦脸呢，还是看他是否站起来与克伦一同上路。

离开的念头使他想起他来这里的理由。在当晚晚餐前，他必得有一点口粮，不拘多末少。

“阿契先生，我……”

阿契瞪了他一会儿，好像他转过身来听一种先前不曾听过的声音。

朗尼闭起嘴来，想知道阿契是否要说一说他的样子是怎样瘦和怎样饿。但阿契却在想别的什么。他一面用手拍他的腿，一面高声笑起来。

“我有时希望黑人有尾巴，”阿契一面说，一面把南子的尾巴团成一个球放进衣袋，“我与其割掉一堆狗尾巴，不如割掉一堆黑人的尾巴。理由之一是可割的就更多了。”

达德雷·斯密士和他们身后的什么人发出短短的笑声。笑声的消沉与其发生同样突然。

听见阿契的话的黑人们，脚在沙子上移动，向后退却。只消几分钟后，加油站附近没有一个留下来。他们走上红木屋后的大路，终于看不见了。

阿契站起来，欠伸了一下。太阳在下沉，十月的空气中不再是适意的了。“得，我想我要回家去吃一点晚饭了。”他说道。

他缓缓地走到路中央，然后停下来看沿着沟子退却的南子。

“没有人与我同路吗？”他问道，“你是什么毛病，朗尼？回家吃晚饭，是不是？”

“阿契先生，我……”

朗尼不觉跳起来，他本想讨一点腌肉和糖酱，可能再讨一点玉米面；但当他张嘴时，话不肯出来。他向前走了几步，然后摇起头来。假如他说一个“不”字，他不知道阿契会说什么或作什么。

“海提会找你呢。”阿契一面说，一面转过身来走了。

他把手伸进裤后袋，拿出南子的尾巴来。当他走向通远处大房子的大路时，他开始旋转那条狗尾巴。

达德雷·斯密士走进加油站，别人也都走了。

在阿契已经走了几百码以后，朗尼沉重地坐在瓦斯唧筒旁的箱子上，当阿契对他说话时，他曾经从箱子上起来。他这时沉重地坐下，双肩下垂，双臂落在伸出的两腿中间。

朗尼不知道他的眼睛闭了多末久，但当睁开时，他看见南子卧在他的两脚中间，舐那被割断的尾巴。当他看它时，他觉得他那锋锐的下颔尖又刺进他的胸膛。不久他身后的门砰的一声关起，一分钟后他可以听见达德雷·斯密士离开加油站回家了。

Ⅱ

朗尼时醒时睡地过了几个钟头，他忽然清醒过来。海提又摇他了。他靠着臂肘欠起身子，想看穿室中的黑暗，他不知道那是什么时候，但可以断定离出太阳还有几乎两个钟头呢。

“朗尼，”海提又在寒冷的夜间空气中颤抖着说道，“你爸不在屋子里呢。”

朗尼在床上坐直。

“你怎知道他不在？”他说道。

“我自从上床后，一直睡不着，我听见他走出去。他已经去了这末久了。”

“或许他不过出去一会儿。”朗尼一面说，一面转过身来，想从卧室的窗子向外看。

“你知道我说的是什么，朗尼，”海提坚持道，“你爸出去得太久了。”

他们两个一声不响地坐了几分钟，听马可·牛桑的动静。

朗尼起来，点上一盏灯。哆嗦着穿上衬衫，工人袴，和鞋子。他把鞋带结成死结，因为他在黯淡的灯光中看不清楚。窗子外几乎是乌黑的，朗尼觉得出吹面的潮湿的十月风。

“看样子我得去救他了。”海提一面说，一面掀开被，就要起床了。

朗尼走回床边，把被扯回她身上，把她推回去。

“你想法睡一会儿吧，海提，”他说道，“你不能整夜不睡呀。我去找爸回来。”

他离开海提，吹熄灯，用手摸着墙，穿过黑的厅道，走向前廊去。当他到达前廊时，他依旧看不很远，不过他的眼睛比较习惯于黑暗了。他等了几分钟，同时在仔细听。

他摸下台阶，进入场院，走过屋角，在喊他父亲以前，又停下来仔细听。

“爸呀！”他高声叫道，“爸呀！”

他停在窗子前，这时他知道他所作的是什么了。

“我在这里喊是一桩蠢事，”他责骂自己道，“爸连打雷也听不见哪。”

他听见床上的沙沙声。

“他去的时间足够他到十字路口，或者还要远呢。”海提隔着窗子喊道。

“你躺下想法睡一会儿吧，海提，”朗尼吩咐她道，“我就要把他找回来了。”

他可以听见南子在屋子下面搔跳蚤，不过他知道它不能帮助他找马可。它要过好几天才能从失去尾巴的震惊中恢复过来呢。

“他已经去了很久呢。”海提说道，她安静不下来。

“那也没有什么关系，”朗尼说道，“我早晚可以找到他。你还是照我吩咐你的去睡吧，海提。”

朗尼一面向仓房走，一面听声音。在大房子那一方，他可以听见一些猪嚎叫，他但愿它们安静下来，使他可以听见别的声音。阿契·甘诺德的那些狗时时在叫，不过不比往常夜间更吵闹，他也习惯它们的叫声。

朗尼来到仓房前，向里外张望，转过仓房后，他进入田地，远达棉花田，他明知没有用，但他不禁时时喊他父亲。

“爸呀！”他喊道，想把黑暗看穿。

他继续向田里走。

“哪，爸究竟怎样了呢？”他一面说，一面停下来想再去哪里找。

当他回到前院以后，他第一次觉得不安起来，马可过去一星期间的行为并不比先前更奇怪，不过朗尼知道他对阿契·甘诺德克扣口粮的行为不满。马可甚至说过，照这样下去，他们全家都要在下去三个月内饿死了。

朗尼离开场院，走向通黑人木屋的大路。当他走到克伦屋前时，他转入通屋门的小径。他敲了几次门，然后停下来等待。没有反应，于是他敲得声音更高。

“谁呀？”他听见克伦从床上说道。

“是我，”朗尼说道，“我不得不见一见你，克伦。我在前院里呢。”

他坐下来，等待克伦穿衣出来。在他等待时，他尖起耳朵听空中任何可能有的声音。在大房子那方面的田圃中，他可以听见那些养膘的猪的嚎叫。

克伦出来，关上门。他在门槛上站了一会儿，对他床上的老婆说话，告诉她，他会回来的，不必发愁。

“谁呀？”克伦一面说，一面走进场院。

朗尼站起来，迎了过去。

“什么事呀？”克伦一面问，一面扣罩衫上的钮子。

“爸不在床上，”朗尼说道，“据海提说，他已经出去了大半夜。我去过田里和仓房周围，但是我到处找不到他的踪影。”

克伦这时扣好罩衫，开始卷一支烟。他缓缓地走下通大路的小径。天依旧很暗，至少再过一个钟头，才能见到破晓的光呢。

“或许他太饿了，不能再留在床上了，”克伦说道，“当我昨天见他时，他说，他是那末瑟缩和软弱，他不知道他能否支持得很久。看他的样子，好像他的皮肤和骨头不能再皱缩下去了。”

“昨晚饭时以后我向阿契讨一点口粮——不过一小块腌肉和一点糖酱。他说，他今早第一件事想办法给我一点呢。”

“你为什么不对他说，或给全份口粮或完全不给呢？”克伦说道，“假如你知道你什么都得不到，你可以搬走，找一个比较好一点的地主替他种田，是不是？”

“我已经多年忠心于阿契·甘诺德了，”朗尼说道，“我不高兴搬走，像这样离开他。”

克伦看了看朗尼，不过他当时未再说什么。他们走向通大房子的车路。那些养膘的猪依旧在圈里嚎叫，阿契的猎犬之一从车道旁的棉田里出来嗅他们的鞋子。

“那些养膘的猪总吃得饱，”克伦说道，“现时没有一口不到七百磅重，一天比一天大。除了吃投给它们的东西外，它们还吃掉许多去那里啄地的鸡。”

当他们走上通大房子的车路时，朗尼留心听那些猪的哼鸣。

“我们好不好叫阿契起来帮忙找爸？”朗尼说道，

“我本不愿叫醒他，不过我怕爸会迷了路，走进洼子里去，永远出不来了。他连打雷也听不见呢。假如他走到那里边去，我就永远不能找回他了。”

克伦低声说了一点什么，走向仓房和猪圈去。他在朗尼前头到达猪圈。

“你还是快一点来好。”克伦一面说，一面转过身来看朗尼在什么地方。

朗尼跑向猪圈。他停下来，攀上铁丝篱的半腰。一开始他什么也不看见，不过他渐渐可以看见猪圈另一边移动的黑色猪群。它们像一群争一只死兔的饿狗一般相咬，相咆哮。

朗尼爬上篱顶，但是克伦捉住他，把他拉回来。

“不要像那样进猪圈，”他说道，“那些猪会撕碎你，它们是那末疯狂。它们在争夺一种东西呢。”

他们两个跑过圈角，来到那些猪所在的一边。在他们下面的地上，朗尼瞥见一堆带白点子的黑色东西。他仅能看一眼，因为有一条猪踏上去了。

在克伦说得出话以前，他的嘴张合了好几次。他抓住朗尼的臂膊，摇他。

"看样子，那东西可能是你爸，"他说道，"说实话，朗尼，那东西很像呢。"

朗尼依旧不能相信。他爬上篱顶，开始用脚踢那些猪，想把它们赶走。它们不注意他。

当朗尼栖身在那里时，克伦去车房，带了两条横木跑回来。这两条横木是他不知怎样设法在黑暗中找到的。他递给朗尼一条，推了好久，才接过去，因为朗尼的注意力完全被那些猪吸引住了。

克伦跳过篱笆，开始向那些猪挥舞横木。朗尼在他身旁溜下来，向那些猪吆喝。一头猪转向朗尼，咬他，于是克伦用力打它的颈背，立即把它赶开了。

这时朗尼可以明了已经发生的事情了。他跑向猪群，用他那沉重的硬鞋子踢它们，用铁头的横木打它们的头。有一次他觉得被刺了一下，一低头便看见一头猪咬他的小腿。在他的腿被咬破以前，他刚好来得及打那头猪，把它赶开。他知道他的裤腿有一大部分被撕掉，因为他觉得出吹在他那赤裸的潮湿的小腿上的夜风。

克伦已经走到前头去，把那些猪赶退。没有别的办法。他们被围在一个咬人的圈子里，他们两个都得不断地挥舞横木，赶开那些猪。朗尼终于俯下来捉住马可的腿。借了克伦的帮助，朗尼把他父亲搬到篱边，然后举过另一边去。

他们有好一会儿喘得说不出话来，也不能作什么。那些咆哮的养膘的猪在篱边咬木头和铁丝，发出比先前更多的喧声。

当朗尼在衣袋中摸索火柴时，克伦擦亮一支。他把火光移近马可·牛桑的头。

他们两个难以相信地看了看，随后克伦吹熄火柴。他们在黑暗中面面相觑，未说一句话。

克伦走出几步去，然后转过身来，到朗尼身边。

“这到底是他，”克伦一面说，一面坐在地上，“这是他，不错。”

“我想是的。”朗尼说道。他当时想不出别的话可说。

他们坐在地上，坐在马可两边，看那个尸身。他们旁边的尸身，从他们最初接触它的时候起，没有一丝活气。脸、喉咙、肚子都被完全吃掉了。

“你还是去喊醒阿契·甘诺德好。”克伦过了一会儿说道。

“为什么呢？”朗尼说道，“他这时无能为力了。太晚了，不能找人帮忙了。”

“没有关系，”克伦坚持道，“你还是去叫醒他让他来看一看好。假如你等到明天早晨，他可能打定主意说这不是猪干的。现时正是叫他起来的时候，这样他可以看见他的猪作了什么。”

克伦转过身来，看那所大房子。黑暗的天空前那暗黑的轮廓使他迟疑不决。

“一个克扣佃户口粮的人，应当在下葬前坐守它。”

朗尼惶恐地看克伦。他知道克伦是对的，不过他怕听一个黑人像这样谈论一个白种人。

“你不应当像这样谈论阿契，”朗尼说道，“他睡在床上呢，他与这件事完全没有干系。他与这件事不比我有更多干系呀。”

克伦笑了笑，把那条横木投在脚中间的地上。搁了一会儿，他又把它拿起来，开始用来打地面。

朗尼缓缓地站起来。他过去从来不曾看见过克伦这样作，他也不知道怎样去想了。他未说一句话便走开去，局促不安地走向黑暗中的房子，去唤醒阿契·甘诺德了。

Ⅲ

阿契是不易唤醒的。而且即使他醒来以后，他也不忙着起来。朗尼站在卧室窗子外，阿契躺在六七尺外的床上。朗尼可以听见他翻动和嘟囔。

“谁教你在半夜时来吵醒我？”阿契说道。

“嘿，克伦·亨利在这里，他说或许你喜欢知道呢。”

阿契一面在床上颠来颠去，一面用拳头捶枕头。

“你对克伦·亨利说，是我说的，有一天他就要触大霉头。”

朗尼执拗地等着。他知道克伦的主张是对的，阿契应当起来，到外边看看发生的事情。朗尼不敢回仓房前对克伦说，阿契不肯来。他不知道，但他有一种预感，克伦可能走进卧室，把阿契拉下床来。他不愿意发生那一类的事。

“你还在外头吗？朗尼？”阿契喊道。

“我还在这里，阿契先生。我——”

“假如我不是那末想睡，我一定出去，拿一根棍子——我不知道有什么我作不出！”

朗尼在后面台阶迎见阿契。在去猪圈的路上，阿契不对他说话。阿契沉重地走在前头，并不关心朗尼是否跟了来。阿契所拿的灯笼把长而扁的黄色光线投在地面上；当他们走到克伦在马可的尸身旁等待的地方时，那个黑人的脸在夜色中像磨光的犁头一般闪光。

“马可究竟在夜间来我的猪圈里作什么呀？”阿契对他们两个大喝道。

克伦和朗尼都未回答。阿契向他们瞪眼，因为他们不回答。不过不管他看他们几多次，他的眼光每次总回来看他面前地上马可·牛桑残余的尸身。

“现时没有什么办法了，”阿契终于说道，“我们只好等到天亮去找丧事承办人了。”他走开几步去，“看样子你们本可以等到天亮。没有要我起来的必要。”

他转过身来，斜眼看克伦。克伦站起来，直视他的眼睛。

“你来作什么，克伦·亨利？”他说道，“谁教你在半夜时来我的住宅附近？除非我派人去找，我不许黑人来这里。”

“眼见什么人被猪吃掉，而任什么都不作，我受不住。”克伦说道。

“你管你自己的事吧，”阿契吩咐他道，“并且在你对我说话时，摘掉你的帽子，否则你要后悔的。我可以如法泡制你。”

朗尼退开去了。他们周围有一种不安的感觉。克伦和阿契间的纠纷总这样开始。他先前已经见过许多次了。只要克伦转身走开，便没有什么事发生，不过有时他留在原来的地方，并且像白种人一般对阿契说话。

朗尼希望这一次不会发生。阿契在夜半被叫醒已经够忿恨的了，朗尼也知道，当阿契对一个黑人发脾气时，他什么都作得出。没有人见过他杀死一个黑人，但是他说他干过，他并且对人说，他不怕再干一次。

“我想你知道他怎样来这里被猪吃掉的。”克伦直视着阿契说道。

阿契旋风一般转过身来。

“你这是对我说话吗？……”

“我问你那个。”克伦说道。

“该死的东西，杂种……”阿契叫道。

他把灯笼甩向克伦的头。克伦避开，但灯笼底碰到他的肩头，灯笼碰碎了。灯油洒在地上，被燃烧的灯芯点起。克伦侥幸灯油未洒在他的脸上和罩衫上。

“喂，看哪……”克伦说道。

“你这个黑杂种，”阿契一面说，一面冲向他去，“我要教训你同我顶嘴。你终于恶贯满盈。我已经受够你的气，我不再受下去了。”

“阿契先生，我……”朗尼一面说，一面稍微跨向他们中间。没有人听他。

阿契停下来，看地上灭下去的灯油光。

“你十分知道他为什么被养膘的猪吃掉，”克伦保持着原来的位置说道，“他饿的不得不在半夜时起床，在黑暗中来这里想找一点东西吃。或许他想找熏肉间。不拘怎样，没有什么不同。他像在你这里作工的别人一样靠短少的口粮过活，他太老了，除了你的熏肉间外他不知道别的找食物的地方。你十分知道，就这样他在黑暗中在这里迷了路，跌进猪圈里边。”

灯油完全灭了。在那最后的黯淡的光线中，阿契俯下来，抓起朗尼投在地上的横木。

阿契把那条横木举过头顶，然后用全力向克伦打下来。克伦避开，但是阿契又赶快抽回来，在克伦来得及避开之前，一下打在他臂肘上的部分。克伦的臂膊垂下来，没有生气地摇摆。

“你这个该死的黑杂种！”阿契喊道，“你的时候到了，你这个黑杂种！我久已在等待教训你的机会。这将是你一课永远不会忘记的教训。”

克伦用脚探索地面，终于触到另一条横木。他俯下去拾起来。他把横木举起来，但并不想打阿契，只想用来遮开阿契向他的头的打击。他继续保持原来的地位，不肯让一时给阿契。

“放下那条横木。”阿契说道。

“我不能站在这里让你像那样打我。”克伦抗议道。

“毫无问题，这正是我要知道的，”阿契扭着嘴说道，“黑小子，你的时候已经来了，毫无问题！”

他又要打克伦，但克伦跑向仓房。阿契追了几步便停下来。他抛开横木，转身跑向住宅去。

朗尼走向篱笆，想要知道他作什么才好。他知道他不能公然站在克伦一方面，虽然克伦帮助过他，特别是在克伦以他愿有而不能有的样子对阿契说过话以后。他是一个白种人，为要保全他的性命，他不敢有反对阿契的念头，不拘发生什么事。

不久一道灯光透过住宅的一个窗子，他听见阿契对他的老婆嚷嚷，叫她起来。

当他看见阿契的老婆去打电话时，朗尼知道要发生什么事了，她在唤起邻人们和阿契的朋友们。当他们听到将举行的事情时，他们不厌烦在夜间起床了。

他听见克伦从仓房后面叫他。朗尼离开场院，在黑暗中摸向他那里。

“什么事呀，克伦？”他说道。

“我想我的时候已经到了，”克伦说道，“阿契·甘诺德怒极了的时候，便像那样讲话。当他把吉木·莫芬带去洼子时，他便像那样讲话——吉木永远不曾回来。”

“阿契不会那样对付你，克伦。”朗尼不安地说道，不过他知道那是谎话。

克伦不出声。

“在他改变主意和冷静一点以前，或许你还是逃去那些洼子好，”朗尼说道，“你可能是对的，克伦。”

朗尼觉得出克伦的眼睛向他冒火。

“假如你肯帮助我，就没有那样作的必要，”克伦说道，“你不肯救我吗？”

当朗尼领悟克伦话中的意思时，他颤抖了。他背向仓房，靠在上面，因为他眼前发花了。

“你不肯救我吗？”克伦又问道。

“我不知道阿契会说什么。”朗尼吞吞吐吐地对他说道。

克伦走开几步。他背向朗尼，张望田野对面他的家所在的区域。

“我可以去那边的小树林，留到他们不高兴找我的时候。”克伦一面说，一面转过来看朗尼。

“你还是去什么地方好，”朗尼不安地说道，“我知道阿契·甘诺德。当他决心作一件他要作的事时，他是很难对付的。我一点也不能拦阻他。或许你还是离开本地好，克伦。”

“我不能那样作，把我的家庭丢在野地那边。”克伦说道。

“假如你不那样作，他就要捉到你了。”

“只要你肯帮我一点忙，他捉不到的。我只消去那里的小树林藏一些时候，似乎你可以帮我那样作，因为当你爸在猪圈里时，我曾帮你找他呀。”

朗尼一面点头，一面听大房子里的声音。当克伦等待保证时，他继续不断地向克伦点头。

“假如你要救我，”克伦说道，“我可以一直去那边的树林子，等到他们忘记这件事的时候。你不要对他们说我在什么地方，你可以说我逃向洼子去了。他们没有警犬永远找不到我的。”

“好的。”朗尼一面说，一面听阿契走出住宅的声音。他不愿在仓房后被发见，阿契会指责他同克伦谈话的。

朗尼一回答，克伦便转过身去，逃进黑夜中。朗尼跟了他几步，好像他突然改变帮助他的念头，不过那时克伦已经在黑暗中消失了。

朗尼等了几分钟，同时倾听踏断四分之一哩外的树林里的脚树的克伦。当他不再听见克伦时，他绕道仓房来见阿契。

阿契拿着他的双管猎枪和在宅内摸到的灯笼走出来。他的衣袋被枪弹塞得胀起来。

“那个该死的黑小子在哪里，朗尼？”阿契问他道，

“他要去什么地方？”

朗尼张开嘴，但是说不出话来。

“你知道他去哪一方，是不是？”

朗尼又想说一点什么，但是没有声音。当他觉出他向阿契点头时，他跳起来。

“阿契先生，我——”

“那末，好啦，”阿契说道，“我现时只是要知道这个。达德雷·斯密士、托木·郝金斯、弗兰克·侯华德、代夫·侯华德，还有别的人们，就要来这里，你可以留在这里，把他躲藏的地方指给我们。”

朗尼狂乱地想说一点什么。随后他伸手捉阿契的袖子，想拦住他，但是阿契已经走了。

阿契绕过房子，跑到前院。不久，一辆车沿路驶来；它的前灯把全地方（连猪圈在内）都照亮。朗尼知道这大概是达德雷·斯密士，因为他住的地方最近，只有半哩路。当他转上车路时，几辆别的车也在望了，有上行的，也有下行的。

朗尼颤抖了。他怕阿契就要教他指出克伦隐藏的地方。那时他知道阿契会吩咐他的。他已经应许克伦不那样作。不过，无论如何，他不能使自己相信，阿契·甘诺德所要作的会超过鞭打克伦一顿。

克伦不曾作应受凌迟的事。他不曾强奸白种女人，他不曾枪打白种男人；他不过同阿契顶过嘴，未摘帽子。不过阿契怒到什么都可以作；他恨克伦恨到非加以凌迟不可了。

在他明白过来以前，全体人群把他包围起来，阿契抓紧他的臂膊，对着他的脸叫喊。

“阿契先生，我……”

朗尼在黯淡的曙光中认出每一个人。他们都很紧张，看样子他们好像通宵狐猎最后一圈上的人们。他们的猎枪和手枪插在腰间，准备屠杀。

“你是怎末一回事，朗尼？”阿契对着他的耳朵喊道，“醒一醒，说克伦·亨利藏在什么地方。我们准备好去捉他了。”

朗尼抬起头来，看见弗兰克·侯华德把黄色十二号弹投入枪筒中。弗兰克俯向前方，想听见朗尼对阿契说克伦藏在什么地方。

“你这次不要杀掉克伦吧，是不是，阿契先生！”

朗尼问道。

“杀掉他？”达德雷·斯密士重复道，“假如不是为了等机会杀掉克伦，你以为我这一向等什么。自从这个黑小子来到本县，他已经在找死。他是一个坏蛋，死来到他头上了。”

“这不完全是克伦的罪过，”朗尼说道，“假如爸不来这里跌入猪圈，克伦完全没有干系。他是在帮助我，不过是这样。”

“住嘴，朗尼，”什么人向他吆喝道，“你发昏发到不知道你在说什么了。你像这样说话，你在为一个黑小子辩护呢。”

人们把他包围得那末紧，他觉得好像他要被挤死了。他不得不有一点空气，恢复他的呼吸，脱出那个人群。

“好啦。”朗尼说道。

他听见自己说话，但他不知道他说的是什么。

“不过，当爸找东西吃迷了路时，克伦帮助我找他呢。”

“住嘴，朗尼，”什么人又说道，“你这该死的傻瓜，住嘴吧！”

阿契抓住他的肩头，摇得他的牙齿震响。这时朗尼知道他说过什么了。

“哪，听清楚，朗尼，”阿契喊道，“你一定是昏了头，因为你十分知道，你清醒时不会像一个黑奴党那样讲话。”

“对啦，”朗尼周身颤抖着说道，“我当然不会有心像那样说话。”

他依旧觉出阿契那强有力的手指使他肩头作痛的把握。

“克伦想了洼子吗，朗尼？”达德雷·斯密士说道，“是不是，朗尼？”

朗尼想摇头；他想点头。这时阿契的手指挤他那细瘦的脖子。朗尼看那些眼带凶光的人们。

“克伦藏在什么地方，朗尼？”阿契挤着问道。

朗尼向仓房走了三四步。当他停下来时，他身后的人们又拥上来。他觉出他被推到仓房后面，推过仓房去。

“好，朗尼，”阿契说道，“现时向哪一边走？”

朗尼指向小溪旁的树林。洼子在相反的方向。

“他说，他要藏在那边小溪旁的小树林里，阿契先生，”朗尼说道，“我认为他现时在那里。”

朗尼觉着他被挤向前方了，他在高低不平的地面上蹒跚，尽力避免被撞倒，被践踏。没有人谈话，每一个人似乎都翘起脚尖来走。黎明的灰色光线逐渐强到既足以遮起他们，又照出前面的路。

在他们将到林边时，那些人散开了，朗尼觉出他是逐渐缩近克伦的圈子的一部分。

朗尼是自由的，没有人阻止他，但他不能向前后移动。他开始明白他作了什么事。

克伦大致在前面树林里一棵树上，不过那时他已经完全被包围了。假如他要突围而逃，他一定像一头兔子一般被打死。

朗尼坐在一段木头上，想要知道作什么好。再过几分钟，太阳就要升高，一到它升高时，那些人就要贴近小溪和克伦了。在那所有的猎枪和手枪中间，他不会有任何逃脱的机会。

他有一两次看见透过脚树丛的火柴光，有一些人躺在那里等待。一片纸烟气触到他的鼻孔，他觉出他在想克伦能否嗅到，不拘他在树林里什么地方。

他周围各地依旧没有声音，他知道阿契·甘诺德和其余的人们都在等太阳，几分钟后太阳就要从他身后的东方上升了。

那时已经亮到，可以清清楚楚地看见那高低不平的地面，纠结的脚树丛，以及松树上起皱的树皮了。

人们已经开始向前爬，像追踪一头鹿一般举着枪。树林并不大，以人们前进的速度，他们的圈子可以在几分钟内缩起。在破晓以前，克伦依旧有机会溜出圈外去，不过朗尼觉得他依旧在那里。当时他开始觉得，克伦所以在那里，是因为他把他留在那里，以便人们找起来容易。

朗尼觉出他自己向前移动，被牵进愈来愈小的圈子。不久他可以朦胧看出他周围的人们。当他们经过一棵树一棵树前进时，他们的眼睛在搜索碧绿的松树梢。

“爸呵！”他用低低的沙声说道，“爸呵！”

他向前走了几步，时而看脚树丛，时而看树梢。他觉出他翘着脚尖向前跳跃，他的身体也斜向那一方。好像不带猎枪时掩袭一头兔子。

他又忘记他在那里作什么。他腿部的跳跃动作似乎愈来愈有力。他向前俯得几乎可以用指尖触到地面。他这时不能停止了。他与那一圈人合上步子。

那十五个人愈来愈离得近。曙光亮到可以照出表面上的时间。太阳开始把上面的天空染上颜色。

朗尼这时已经越过别人前头去。他不能控制自己。他不能控制腿上的力量。

他久已无力买枪弹，因此他已经忘记他怎样喜欢打猎。

人们沉着的潜行的声音在他的耳朵里变成一种节奏。

“那杂种在这里！”什么人喊道，于是干枯的脚树丛劈劈拍拍响成一片。朗尼冲向前头去，几乎同别人一样快地来到那棵树下。

他可以看见举着枪的每一个人，也可以看见，在高高的天空，在上升的阳光中放光的克伦·亨利那轮廓鲜明的脸。他的身体紧抱着纤细的松树梢。

朗尼不知道谁先开枪，不过下余的人们并不怠慢。猎枪和手枪围着树干闪光和冒烟，这时是一片震耳欲聋的喧声。

他闭上眼睛，他怕再看上面的脸。枪声继续不停。克伦竭力抱树，后来，随着遥远的裂木声，树梢和克伦穿过下部的树枝跌下地来。那个挣扎的残破的身体咕咚一声跌在地上，这声音使得朗尼的心脏暂时停止了跳动。

他翻过身来，想扶一棵树。这时枪声又开始响了。那个破碎的身体一次一次地投掷，好像一袋用自动猎枪射杀的小猫，一阵一阵的枪弹从四面八方射到里面去。一片灰尘从地上腾起，含着窒息的火药气飘过头顶。

朗尼不记得那射击继续了多久。他觉出他自己从一棵树跑向另一棵树，把捉粗糙的松树皮，疯狂一般摇摆向空地去。当他来到林外时，天空已经由灰变红，当他在犁过的田地的硬土块上跌跌绊绊地奔走时，他尽可能注视前面的房子。

有一次他跌倒了，他觉得几乎不再能站起来。他面向滚圆的红色的太阳，挣扎着跪起来。温暖给了他站起来的力气，他模糊不清地自言自语。他想说一些他先前从未想说的话。

当他到家时，海提正在场院中等他。她已经听见树林中的枪声，她已经看见他在田地的硬土块上蹒跚，她也已经看见他跪在那里直视太阳。海提一面颤抖，一面跑向朗尼，问是什么事。

一进入他自己的场院，朗尼转过身来，向后看了一下。他看见人们攀过阿契·甘诺德家的篱笆。阿契的老婆站在后廊上，在同他们谈话。

“你爸在哪里，朗尼！”海提说道，“树林子里那枪声究竟为了什么？”朗尼向前摇摆，一直来到前廊。他跌在台阶上。

“朗尼！朗尼！”海提说道，“醒一醒，告诉我这到底是什么事。我从来不曾见过这种样的情形。”

“没有事，”朗尼说道，“没有事。”

“得，假如没有什么要紧的事，你可不可以去大房子要一点腌肉皮？我们没有任何作早饭的东西了。你爸走了一个通宵后要比往常更饿了。”

“什么？”朗尼说道，他一面把声音提高到叫喊的程度，一面跳起来。

“哈，我不过说，去大房子要一点腌肉皮，朗尼。

我说的只是这个。”

他抓住他的老婆的肩头。

“肉？”他一面喊，一面粗暴地摇她。

“是呀,”她一面说，一面惊慌地挣开，“你不能去阿契·甘诺德那里要一点腌肉皮吗？”

朗尼又陷落在台阶上，他的两手垂在伸开的两腿中间，他的下颔垂在胸膛上。

“不,”他用几乎听不出的声音说道,“不，我不饿。”

星期六下午

E. 加德维尔

托木 · 登尼把大块肉推开，躺在砧板上。他想仰卧在那里休息一下。砧板是肉铺中唯一可躺的舒服地方，托木也必得时时在上面休息一下。他可以把一只脚支在板边上，把另一条腿横过膝盖，头下舒舒服服地枕一块后坐肉。肉刚从冷藏间取来，非常凉爽。托木照那样办了。他想休息一会儿，他必得舒舒服服地躺在砧板上。他踢掉鞋子，以便他扭动脚趾头。

托木肉铺的气味不大好。第一次进去买托木的肉的生客，总要问他铺子里死过什么东西。那气味一年比一年坏，一年比一年坏。

托木咬下一口烟叶，使自己舒舒服服地躺在砧板上。

那地方有一大群嗡嗡来嗡嗡去的苍蝇；住在托木肉铺中的那种懒惰的刺人的肥胖的油腻的苍蝇。前面一扇纱门把要进来的它们中的一些挡在外面，不过假如它们惯于进来饱餐砧板上的鲜血，它们便知道怎样飞去从来不装纱门的后门了。

人人吃托木铺子里的肉，也都喜欢他这肉。城里没有别的肉铺。你走进去说道："嘿喽，托木。今天情形怎样？""我是一切都很好，不过我的老婆又得了寒热病。"在托木说完害寒热病的感觉以后，你说道："我要一磅牛排骨，托木。"于是托木说道："得，我就拿给你。"当你站在那里等排骨时，托木把那块牛肉神气活现地翻动两三次，然后为你切下一磅牛肉。假如你要牛犊肉，那在托木都一样。他化上很大的气力把那块牛肉劈劈拍拍颠动好几次，然后为你切下那块牛犊肉。他使人人喜欢。问托木要你点得出的任何种肉，托木都有在砧板上，等待切出来过磅。

托木抹去脸上的苍蝇，睡一小觉。那是日中时分。乡下人还不曾进城。那是伏季，人人工作到太阳时间十二点，比铁路时间慢半个钟头。在一天的那时候，即使是星期六，市区已经没有什么人了。凡需要托木的肉供星期六晚餐的城里人，都已经买到手，在那时候买星期日的肉就太早了。假如要把肉留到星期日，那末从托木买肉的最好时间是星期六晚十点左右。那时你把肉拿回家中，管包在第二天正午以前不会变坏——假如天气不太热的话。

那些苍蝇一面嗡嗡，一面落在托木的嘴上和鼻子上，托木用手赶开它们，想枕着那块清凉的后坐肉睡一觉。烟液不断地要流下他的喉咙，于是托木不得不连续向外吐。在盛肝儿脑儿供陈列的货样箱后，有一个装了半箱锯末的烟卷箱，但他不一定能从他所在的地方吐那末远。烟液落在砧板与烟卷箱之间中途地板上。滴在后坐肉上的那一点实在不要紧，大多数人在把肉煮了吃以前总要洗一洗的，那就完全洗去了。

但是那些该死的苍蝇呵！它们不断地一面嗡嗡，一面抓人。要多讨厌有多讨厌，总之，没有比一头夏季懒惰的养足的肉铺苍蝇更讨厌的了。托木把它们从脸上赶走，从嘴上吐走，尽可能避免动得太多。过了一会儿，他不去管它们了。

托木正在享受一个好中觉，街角上理发店里的吉木·白克斯特从后门跑进来。吉木是托木的伙友，有时在忙季来帮一手。他是一个大个子，几乎比托木大两倍。他经常戴一顶宽边大黑帽子，穿一件蓝衬衫，把袖子卷到臂肘以上去。他生有一个卵形的大肚子，他的袴子总从上面滑下来。当他走路时，他时时拉他的袴子，拉过肚子顶尖以上。不过袴子总往下溜，一直溜到仿佛随时可以落在地上，绊倒他。吉木不肯挂吊带。一条袴带似乎更俏皮呢。

当托木正在睡下去时，吉木从后门跑进来，抓住他的两肩。一大把苍蝇已经在托木嘴上睡着了。吉木把它们赶走。

“嘿，托木，托木！”吉木上气不接下气地喊道，“醒一醒，托木！赶快醒一醒！”

托木跳到地板上，穿上他的鞋子。他已经习惯于进来叫醒他买两角五分的肉排或两角五分的火腿的人们，因此他把吉木错当成一个主顾。他用两只手背擦嘴，擦去苍蝇抓过的感觉。

“什么事！”他一面糊糊涂涂地说，一面抬起头来看站在他旁边的吉木，“作什么？”

“来呀，托木！带你的枪！我们就要在河边上收拾一个黑人了。”

“全能的上帝，吉木！”托木叫道，这时完全醒过来了。他捉住吉木的臂膊，追问道，“你们要去干掉一个黑人，真的吗？”

“你说的一点也不错，托木！你认识那个好久以前在铁路上作过工的姜饼色的黑人吧？他就是那个我们要干掉的黑人。我们也要如法泡制他，那个黄脸的滑头。他在一个钟头以前对路旁弗雷德·杰克生的大女儿说过一点什么。弗雷德在那边理发店里本本源源地告诉了我们。来呀，托木。我们得快了。我希望我们这一次就要把他收拾了。”

托木扎上鞋子，随着吉木跑过街去。托木臂下夹有他的猎枪，吉木从砧板下抽出切肉刀。他们一定要干掉那个该死的黑人——该死的黄皮！

托木爬进一辆载有一些别的人们的汽车。吉木跳上已经开动的另一辆车的跑板上。已经有三四十辆车驰向河边，还有一些正要出发。

他们已经在河边上选定一片地方。路旁树林中有一片空地。刚好够地方作应作的事。附近有许多干柴，空地中央有一棵大苏合香树。那些汽车停下来，人们匆匆忙忙地跳出。有一些别的人们已经去捉威尔·麦克塞了。威尔便是那个姜饼色的黑人。他们大致发见他正在安闲地种棉花呢。威尔能种出很好的棉花。他先把所有的草除去，然后用土培起棉花行。别人种棉花都不肯费事拔草。但是威尔是一个很精明的黑人。他也能每亩出产大量的玉米。他总在种玉米以前把草除去。不过没有人喜欢威尔。他因了在种棉花和种玉米以前把草除去赚了太多的钱。他比托木和吉木在肉铺里卖肉赚的钱更多。

克罗摩医生已经派他的伙计从药房送来六箱可口可乐和装在洗衣桶里的一块冰。桶里先装上河里一些混水，然后放上那块冰，然后放上三箱可口可乐。卖完以后，那个伙计就再把下余的三箱放在桶里，使那些饮料有机会变冷。人人喜欢趁凉爽可口喝上一些。

托木去树林子里同吉木和哈勃特·威尔斯喝一杯威士忌。哈勃特不拘去什么地方总随身带一壶威士忌。他亲自在他自己的造酒厂里作威士忌，靠了在审判厅和理发店附近卖这东西，赚到一种很好的生活。哈勃特作出本县最好的威士忌。

威尔·麦克塞慌慌张张地沿大路走来。二十多个人在他后面用棍子推他。威尔已经老了。他有一个老婆和三个长大成人的女儿，都结了婚，成了家。威尔也是一个很老实的黑人，安分守己，遇到白种人，总要从路上让开，处处小心谨慎。但是没有人喜欢威尔。他因了在种棉花前拔草赚了太多的钱。

威尔沿大路跑来，那些人把他推进空地。一切都准备好了。那里有一大堆干柴，一条扎脖子的链子，一条绑脚的链子。这就可以吊起他来。此外还有两三罐汽油。

克罗摩医生的伙计用他的可口可乐作了一笔好生意。头三箱在桶子里只剩下五六瓶了。他这时正要把别的几箱放进去，使那些饮料有机会冷一冷。人人喜欢时时喝一瓶。

克罗摩的伙计大致可以卖完，而且必得回城里再拿几箱来了。今天那里的人并不算多。是那热天气使得人们不得不喝一大些饮料来解热。今天那里只有一百五十个或一百七十五个人，没有充分的时间把消息传开去了。当托木在砧板上睡中觉时，假如吉木不跑来通知他，他一定把这件事错过了。

威尔·麦克塞不喝可口可乐。威尔从来不把他的钱用在这一类的事上。这就是他该死的地方。就一个黑人来说，他是太他妈的好了。他既不喝威士忌，也不造威士忌；他既不带短刀，也不带剃刀；他遇见白种人时脱帽，他与自己的老婆同居。但是他们这一次可捉住他了！该死的姜饼皮。他们捉住他了，他再也不能在种棉花以前拔草了。他们把他绑在河边空地的苏合香树上，用一条索链扎住他的脖子，用另一条缠住他的膝盖。哼！哈！他们现时捉住威尔·麦克塞，那个黄脸的滑头！他再也不能在种棉花以前拔草了！

托木很开心。哈勃特又在树林里给了他一杯喝。哈勃特是好的。他作得好威士忌。托木为这个喜欢他的哈勃特也总在星期六晚间带一大块肉给他的老婆供星期日用。肉也是好的。托木切肉，哈勃特拿回家，当作礼物送给他的老婆。

威尔·麦克塞就要在火烟中吊死了。在他将死未死的时候，他们用枪打他了。托木站开来。用他的猎枪向威尔瞄准，放射，能装多快便放多快。另外有四十多个人也有猎枪。他们射进他那末多枪弹，他的身体从他的脖子系索链的地方软垂下来。

克罗摩的伙计已经完全卖光。他所有的冰和饮料都完了。当那个伙计带回所有的钱时，克罗摩医生一定很开心了。他卖掉六整箱，一角钱一瓶。假如他多带一两箱来，他也可以很容易地卖掉。人人喜欢可口可乐。在一个热天没有比这东西更好喝的了，只要它凉爽可口。

过了一会儿，那些人就要把尸体拉到树上去，拴在一条树枝上，以便它可以吊在那里，但是托木和吉木不能等了，他们一得到搭车的机会，就回城里去了。他们非常心急。他们已经出来好几个钟头，几乎四点钟了。许多人在星期六下午赶早来市区，要在乡下人挑选以前买星期天的肉。托木和吉木不得不赶快回来开市，以便用切肉刀在砧板上片肉排，砍汤骨。托木是屠户。他进行全部卖肉工作。他去外边把一头牛宰掉，割开。他随后把肉运进肉铺，挂在冰库里的钩子上。有人要买肉时，他便从钩子上摘下一块，扔在砧板上，把你所要的切下来。你把你所要的告诉托木，他便拿给你，不拘你所要的是什么。

随后你走到柜台前，把肉钱付给吉木。吉木是掌柜。他也管一切接谈。托木不得不作切肉秤肉的事。吉木的卵形肚子太大了，不便在砧板周围工作了。当他要给你片一块腰肉排骨时，他的肚子妨碍他，只好由托木来作，于是吉木收钱，把钱放进柜台下的钱箱里。

托木和吉木回来得刚好是时候。有一大群人站在附近街上，准备进行他们一星期的交易，他们不得不买一些肉。你走进肉铺，说道："嘿喽，托木。我要两磅半牛排骨。"托木说道："嘿喽，我就拿给你。"当你等候托木从那块后坐肉上割肉时，你问他情形怎样。

"一切都很好，"他说道，"只有我的老婆的寒热病又发得很重呢。"

托木替你把牛排骨秤过，包起，然后你走去吉木处，把钱付给他。吉木是掌柜。他的卵形肚子太大了，不能在砧板周围工作了。托木作那一部分，吉木收钱，然后放进柜台下的钱箱里。

塔克尔的结局

E. 加德维尔

克里斯提 · 塔克尔骑着骡子，一路吹着口哨，在傍晚时进入那个垦区市。他整早晨为他房子周围的篱笆砍桩子，他因为作好了很多觉得开心。他不常有机会去垦区市，当他能去时，他就要不错过一点时候到那里了。

他把骡子拴在那排商店后面的架子上，他注意到的第一件事是，那里别的黑人们似乎不高兴对他说话。自从克里斯提同他的老婆在三个月前搬到那里以来，他同垦区上所有的有色民族处得很好，因此他无法了解他们为什么假装不看见他。

他一面缓缓地顺大路走向开垦局，一面纳闷为什么没有人对他说话。

在他向前走了一小段路以后，他遇见弗洛吉 · 米勒尔。他在弗洛吉来得及躲避以前捉住他的臂膊。

“你们大家今天是怎末一回事儿？”他说道。弗洛吉·米勒尔住在离他家不过一哩路的地方，隔棉花田列成一条直线，他熟识弗洛吉过于垦区上的任何别人。“什么事呀，究竟，弗洛吉？”

弗洛吉，一个剪短头发的六尺高的大个子黑人，走开去了。

他抓紧弗洛吉的臂膊，然后摇他。

“哪，听清楚！”克里斯提说道，他着了恼，“你和所有别人的行为何以这末怪呀？”

“黎·克劳斯曼先生派人去叫你，是不是。”弗洛吉说道。

“是呀，他派人叫我，”克里斯提说道，“我以为他要对我谈关于农场的事呢。不过那同——”

在他来得及说完以前，弗洛吉已经从他手中挣脱，匆匆忙忙地走过去。

克里斯提不再浪费时间了，于是跑向开垦局去发见那难题是什么了。

当他跑进去时，垦区账房亨德利克斯和黎·克劳斯曼的弟弟摩尔根，脚搭着窗台，坐在前面办公室里。亨德利克斯看见克里斯提时，站起来，走进通后室的门。当那个账房进入另一个房间时，摩尔根·克劳斯曼阴沉地打量那个黑人。

“来这里，你。”亨德利克斯一面说，一面走进门来。

克里斯提转过身来，于是看见站在门口里的黎·克劳斯曼，垦区的主人和老板。

“是，你老。”克里斯提说道。

黎·克劳斯曼身穿深灰色的骑马袴，褐色衬衫，扎在膝盖处的黑靴子。当克里斯提走进后室时，他站开一边，然后从外面关上门。克里斯提走到室中央，站在那里等候黎·克劳斯曼。

在三个来月前，克里斯提本年第一个搬到克劳斯曼的垦区。这是他第一次来乔治亚，他渐渐地喜欢这地方过于他一向居住的阿拉巴马了。他和他的老婆决定来乔治亚，因为他们听说，那里供佃种棉花的土地比较好。克里斯提说过，他不能以仅仅维持生活为满足；他希望成家立业。

黎·克劳斯曼还不曾来，于是克里斯提坐在一张椅子上。他刚一坐下，门就开了。他跳起来。

“您好，黎先生，”他含笑说道，“我已经得机会把那块地仔细看过，我希望再有一匹骡子和一张汽犁。我估计，用一张汽犁，我可以在那块地上收成两倍多的棉花，因为这大概是我见过的最好的地了。地上没有石头和树根，像我的手掌一般没有灌木。我不曾在上面任何地方发见一条沟子。假如您肯再给我一匹骡子和一张汽犁，我一定比您垦区上任何两个佃户为您收获更多的棉花。”

黎·克劳斯曼听到他把话说完，然后砰的一声关上门，大踏步跨到里边去。

“我派人叫你，黑小子，”他说道，“你不曾派人叫我，是不是？”

“不错，黎先生，您派人叫我。”

“那末在我吩咐你开口以前，闭上你的黑嘴。”

“是，你老，黎先生。”克里斯提一面说，一面向后退，一直退到靠了墙，然后告一段落。黎·克劳斯曼坐在一张椅子上，然后用眼睛瞪他。“是，你老，黎先生。”克里斯提又说道。

“你是那些大模大样的黑小子中的一个，是不是？”

黎说道，“你究竟是从什么地方来的！你不是乔治亚的黑人，是不是？”

“不是，你老，黎先生，”克里斯提一面说，一面摇头，“我生长在阿拉巴马。”

“他们在阿拉巴马不曾教你更好的行为吗？”

“是，你老，黎先生。”

“那末你为什么来这里乔治亚，这样大模大样起来？”

“我不知道，黎先生。”

克里斯提用手掌擦脸，不明白黎·克劳斯曼为什么对他发脾气。他开始懂得别的黑人避开他不同他说话的缘故了。他们知道他被派人叫来，那就是说，他作了使黎·克劳斯曼不喜欢的事。他们不愿被人看见同垦区主人和老板不喜欢的人说话。

“你买了一架收音机吗？”黎问道。

“是，你老。”

“你从什么地方买的？”

“我碰巧买到的。”

“你从什么地方弄钱来付账？”

“我原有一点，我老婆又养了几只鸡。”

“你为什么不在垦区商店买？”

“我在别的地方占了便宜。我买得便宜一点。”

“住在我的垦区上的黑人，都要从我的垦区商店买他们所需要的东西。”黎说道。

“我不愿意欠你的债呀！黎先生，”克里斯提说道，“我希望年尾结账时可以有一点好处呢。”

黎·克劳斯曼向后靠在椅子上，交叠起两腿，拿出他的小刀来。他开始剔指甲。

室内沉默了几分钟。克里斯提靠在墙上。

“站直，黑小子！”黎对他喝道。

“是，你老。”克里斯提一面说，一面挺起身子。

“你劈了一些我的木头，砍作你住宅周围的篱笆桩子，是不是？”

“是，你老，黎先生。”

“你为什么不问一问我要不要你那样作？”

“我以为篱笆需要一些新桩子来代替那些糟烂的，因为我住在那所房子里，我便一直去作了。”

“你作得大模大样，是不是？”黎说道，“你作得好像你占有了我的房子和地，是不是？你作得好像你以为你同白人一样，是不是？”

“不，你老，黎先生，”克里斯提辩解道，“我并不要作得那样。我不过自然而然地喜欢努力作事，不过如此。我不过要在修篱笆、砍木头、拾棉花，诸如此类时才觉得满足。我不过自然而然地喜欢作事。”

“你知道我们在乔治亚怎样对付像你这种大模大样的黑人吗？”

“不知道，你老。”

“我们教训他们安分守己。”

黎·克劳斯曼站起来，走向壁橱去。他把橱门拉开，向里面摸索。当他转过身子时，他手里拿有一条镶大铜钉的长皮带。他一面往回走，一面用那条皮带抽打他的靴筒。

“谁告诉过你的老婆她可以在我的垦区上养鸡？”他对克里斯提说道。

“没有人告诉过她，黎先生，”克里斯提说道，“我们以为你不在意。房子周围有很多空地给它们，我又修了一个小鸡窝。”

“不要同我争论，黑小子！”

“是，你老。”

“我不要鸡翻掘垦区上的粮食。”

“是，你老。”克里斯提说道。

“你从什么地方弄钱付收音机的账？”

“我捉了几只兔子，剥了皮，然后把皮卖了一点钱。”

“我不准人碰我垦区上的兔子。”黎说道。

他把那条粗皮带抖开，劈劈拍拍地抽打他的靴子。

“你为什么不在垦区商店挂账？”黎问道。

“我不过不愿意欠债，”克里斯提说道，“我希望年终结账时有一点好处呢。”

“年终结账时你欠我的还是我欠你的要由我来决定。”黎说道。

他指地板上一道裂缝。

“脱下你的衬衫和裤子，两腿跨着那道裂缝跪在那里。”那个白种人说道。

“你要对我作什么呀，黎先生？”

“我就要使你知道我要作什么，”他回答道，“脱下衬衫和裤子，照我吩咐你的样子跪在那里。”

“黎先生，我不能让你像那样打我。不，你老，黎先生。我不能让你对我那样作。我绝对不能！”

“你这黑杂种，顶嘴的坏蛋你！”黎大叫道，他的脸怒得发了红。

他用那镶铜钉的粗皮带打克里斯提。克里斯提退开了，当黎第二次打他时，那个黑人捉住皮带，不肯放松。黎先用眼瞪他，然后想把皮带从他的把握中抖脱。

“黎先生，我除了捉几只兔子养几只鸡以及诸如此类之外不曾作过什么，”克里斯提辩解道，“我不曾有一点恶意。我以为在你的篱笆上加几条新桩子你会高兴的呀。”

“闭上你的嘴，照我吩咐你的样子脱下衬衫和袴子，”他说道，比先前更怒了，“还有，在我打得你松开手以前放开皮带吧。”

克里斯提留在原来的地方，用全力捉住那条皮带。黎怒得不能再说下去了。他跑向壁橱，拿起他的手枪。他转过身子，向克里斯提开了三枪。克里斯提放开皮带，倒在地板上。

黎的弟弟摩尔根和账房亨德利克斯都跑进套里间。

“出了什么事，黎？”他的弟弟看见躺在地板上的克里斯提·塔克尔时说道。

“那个黑小子恐吓我。”黎一面说，一面用力喷气。他走向壁橱，把手枪抛在架子上。“你和亨德利克斯听见他说要杀死我。我为了保卫我自己的性命不得不打倒他。”他们离开套里间，走进前面办事室。几个垦区商店的店员跑进来，想知道开枪的缘故。

“不过是一个妄自尊大的黑小子，”黎一面说，一面在水槽处洗手，“他是两三个月前来这里的那个阿拉巴马的黑小子。我今天早晨派人去问他，为什么不先问过我，就在他房周围的篱笆上加新桩子。当我把他叫到这里来时，他恐吓起我来了。他是一个坏黑人。”

店员们走回垦区商店去，亨德利克斯也打开他的账本去记账了。

“敞开后门，”黎吩咐他弟弟道，“让后面那些黑小子们看一看，当他们中间有人像阿拉巴马那个坏蛋一样自大时，他们就有什么结果。”

他的弟弟敞开后门。当他向大路上看时，他看不见一个黑人，那里唯一的活物是克里斯提·塔克尔骑来市区的骡子。

老阿伯的悲哀

E. 加德维尔

老阿伯正在小屋子里剥玉米，路德 · 波力克从小山上的大白房子下来，吩咐他收拾他的家私，从农场上搬走。老阿伯已经有一点声了，他第一次未听见路德说什么。

“我这一双老耳朵又给我添麻烦了，路德先生，我似乎不能听得像先前那末清楚了。”

路德一面看那个黑人，一面皱眉。老阿伯站起来，站在可以听得比较清楚的屋门口。

“我方才说，我要你和你全家人收拾起你们的家具和真正归你们所有的其他一切东西，搬走。”

老阿伯伸出手来，抓住屋门，免得跌倒。

“搬走？”老阿伯说道。

他不相信地看他的东家的脸。

“路德先生，您没有这样的意思，是不是？”老阿伯问道，他的声音颤抖了，“您一定是开玩笑。是不是，路德先生？”

“你听得很清楚，虽然你装成半聋的样子，”路德忿忿地说道，他转过身子，走了几步，“我要你在星期尾离开这地方。我可以给你那末多时间，假如你不想惹麻烦的话。在你收拾你的东西时，当心你不要拿走归我所有的东西。否则我一定法办你。”

老阿伯那末快地衰弱下来，他勉勉强强地不倒下来。他转动了一下，顺着门旁溜下来，坐在地板上。路德回头看他在作什么。

“我已经过了六十岁，”老阿伯缓缓地说道，“但是我和我的家人用力为您作工，路德先生。我们像您这里一切别人一样用力作工。您知道这是真的，路德先生。我已经在这里住了整整四十年，为您和您以前您的爸爸作工。不拘我为您种出来的收成多大，我从来不对您争多论少。我从来不曾多要，只求够吃够穿，不过如此。我养大一窝子孩子帮助作工，其中没有一个为您惹过任何麻烦，是不是，路德先生？”

路德不耐烦地摇摆他的臂膊，表示他要那个黑人停止争论。他摇头，表示他不要听老阿伯所要说的一切话。

“那都是千真万确的，”路德说道，“不过我不得不赶走我农场上的一半佃户。我不能再把八九个像你这样的老家伙留在这里。你们全体都得搬走，去别的什么地方。”

“您今年不是要种田吗，要种棉花吗，路德先生？”老阿伯问道，“我还能像别人一样努力作工呢。有时我可能作得久一点，不过我把工作完。我剥玉米来喂骡子，不是同别人作得一样好吗？”

“我没有时间站在这里同你辩论，”路德暴躁地说道，“我已经下了决心，丝毫不能变更。哪，你一喂完骡子就回家去，照我吩咐你的话把属于你的东西收拾起来吧。”

路德转过身子去，走下通仓房的路。当他走到仓房院门前时，他转过来，向后看。老阿伯已经跟了他来。

“我同我的家人能去什么地方呢，路德先生？”老阿伯说道，“这些男孩子们长得可以照顾他们自己了。

但是我和我的老婆已经老了。您知道，一个像我这样的有色人种的老年人，去找一处房地作佃户有多末难。收留我们费不了您很多，我和我的儿子们种出像别人一样多的棉花。上一次我提到分收成的事，已经过去很久了，三十年以上了。像我这样作工，弄到一点口粮和几件衣服，我就满足了，您知道这是实话呀，路德先生。我在那边我那所小屋子里已经住了四十年，那是我从来唯一的家。路德先生，我和我的老婆现时都老了，我不能去作短工了，因为我不再有力量了。不过我依旧可以种棉花，种得像本地任何别的有色人种一样好呢。”

路德打开仓房院门，走进去。他摇头，好像他连听也不要听下去了。他背向老阿伯，走开去了。

老阿伯在那以后不知道说什么好，或作什么好。当他看见路德走开时，他周身颤抖起来。他抓住大门作支持他的东西。

“我绝对不能搬走，路德先生，”他绝望地说道，“我绝对不能那样作。这是我在世界上唯一可住的地方。我绝对不能搬开，路德先生。”

路德走到房角后面去，看不见了。他在那以后不曾听老阿伯的话。

第二天，在下午两点钟过一点时，一辆货车赶到老阿伯、他的老婆、他的三个长大的儿子同住的三个房间的宅门前。老阿伯和他的老婆坐在火炉前，在冬季寒气中取暖。他们是当时在家的仅有的两个人。

老阿伯听见货车赶过，停下来，但是他坐在原来的地方不动，他以为这是有时为路德 · 波力克赶货车的他的大儿子亨利。

几分钟过了以后，有人敲门了，他的老婆赶快站起来，去看那是谁。

当她开门时，两个陌生的白种人站在门廊上。他们一开始什么话都不说，一味向房里张望，看里边有谁。依旧什么话都不说，他们走进来，走向老阿伯坐在那里烤火的火炉前。

“你是阿伯·莱坦吗？”来人中的一个，最老的一个，问道。

“是的，你老，我是阿伯 · 莱坦，”他一面回答，一面想知道他们是谁，因为他先前不曾见过他们，“你要知道这个作什么呀？”

那个人从他的衣袋中掏出一个光亮的金属圆片，用手掌握着给老阿伯看。

“我来对你执行一件文书和一个拘票，”他说道，“一件是驱逐状，另一件为了伤害身体的恐吓。”

他展开驱逐状，递给老阿伯。那个黑人狼狈地摇头，先看那文件，然后向上看那两个陌生的白种人。

“我是一个公差，”那个年纪比较大的人说道，“我来作两件事：把你赶出这所房子，然后把你逮捕起来。”

“那是什么意思呢——赶出去？”老阿伯问道。

那个人向周围看了一会儿。老阿伯的老婆已经来到他的椅子后面，把一双颤抖的手放在他的肩头上。

“我们要把你的家具搬到房子外边，搬出路德 · 波力克的地产以外。此外，我们还要把你送进县监狱。哪，来呀，快一点，你们两个。”

老阿伯站起来，他和他老婆站在那里不知道作什么好。

那两个人开始收拾家具，搬到房子外边去。他们搬出床，桌子，椅子，以及三个房间里其他一切东西，只留下原属于路德 · 波力克的煮饭炉子。他们把所有东西搬出以后，便动手装进货车。

老阿伯尽可能快地走到房子前边去。

“白种人，请不要那样，”他哀求道，“只消等一会儿，我去找路德先生。他会把事情安排好。路德先生是我的东家，他不会由着你们像这样拿走我所有的家具。请你，先生，只消等一下，我去找他。”

那两个人面面相觑。

“路德 · 波力克就是在这些文件上签字的人，”那个差人摇着头说道，“取得搬出家具、送你入狱的法庭命令的也就是他。现时去找他不会有你一丁点好处。”

“送我入狱？”老阿伯说道，“他说过那是为什么吗？”

“为了伤害身体的恐吓，”那个差人说道，“那就是说为了杀死他的恐吓。用棍子或用手枪打他。”

那两个人把剩余的家用物品扔进货车，吩咐老阿伯和他的老婆爬进车后边。因为他们没有上车的意思，那个公务员把他们推过去，杵得他们爬进货车。

比较年轻的那个人开车，那个差人站在他们旁边警戒，免得他们逃掉。他们开出弄堂，经过别的佃户的房子，然后开上跨过小山、经过路德·波力克的田地、连接公路的长路。他们经过路德住的大白房子，但是不见有他。

“我从来没有恐吓过路德先生，”老阿伯抗议道，“我一生从来没有作过那一类的事。我也从来没有说过他一句坏话。路德先生是我的老板，我从二十岁上就替他作工。昨天他说，他要我搬出他的农场，我不过说，我以为他应当让我留下。我断乎活不多久了。我对他说，我不愿意搬走。这就是我对路德先生说过的话。我从来没有说过我要想杀死他。路德先生同我一样知道得清楚。你问一问路德先生，看是不是这样。”

他们已经离开路德·波力克的农场，转上通七哩路外的县城的公路。

“一连四十年，我住在这里，为路德先生作工，”老阿伯说道，“我从来没有在他面前或在他背后说过一句讨厌的话。他发给我和我一家人口粮和几件衣服，我和我一家人为他种棉花。我从二十岁起一直这样作下来。我搬到这里来，首先作他爸爸的佃户，后来他死了，我照旧一直作到现在。路德先生知道我向来用力作工，从来不同他顶嘴，只是时时要口粮和几件衣服。你问一问路德先生吧。”

那个差人一直听老阿伯说话，但是他自己什么都不说。他为那个老黑人和他的老婆难过，不过他对这件事无能为力。路德·波力克那一天一清早赶车去审判厅，取得驱逐和逮捕的公文。他的任务是履行文书，执行审判厅的命令。不过虽然那是他的任务，他也禁不住为那两个黑人难过。他不以为路德·波力克应当把他们赶出农场，只因为他们的年纪已经见老。

当他们望见县城时，公差吩咐开车的人停下来。在他们来到第一排房子前时，他把货车从公路旁开上去。路两边有十五所或十八所黑人的房子。

他们停下以后，那两个白种人开始把家具卸下来，堆在路旁边。当车上的东西出清时，那个公差吩咐老阿伯的老婆下车。老阿伯也起身要下去，但是公差吩咐他留在原来的地方。他们又开走了，把老阿伯的老婆丢在家具旁边，神魂无主地站在那里。

“你们现时要怎样处置我呢？”老阿伯望着后面远处他的老婆和家具问道。

“把你送进县监狱，锁起来。”公差说道。

“我的老婆怎末办呢？”他问道。

“那些房子里大致会有人收容她的。”

“你们要把我在监狱里锁多久呢？”

“锁到你这案件提出受审的时候。”

他们开过城里多灰尘的街道，绕过审判厅前的广场，停在一所窗子上装铁栅栏的砖房子前边。

“这就是我们下车的地方。”差人说道。

老阿伯这时几乎软得不能走路了，但是他勉强沿路走向门口。另一个白种人开了门，吩咐他一直顺着廊子走，到吩咐他住下时然后住下。

在星期六快要晌午的时候，老阿伯的大儿子亨利恭恭敬敬地站在莱木塞·克拉克的事务所里。那个律师一面看那个黑人，一面皱眉。他咀嚼了一会儿铅笔，然后从椅子里转过身子，看窗子外的审判厅广场。过了一会儿，他转过来，又来看老阿伯的儿子。

“我不要接这个案子，”他说道，“我不要碰它。”

那个少年无可奈何地看他。这是那一早晨他见过的第三个律师，他们都不肯接办他父亲的案子。

“这里头没有钱哪，”莱木塞·克拉克依旧皱着眉说道，“假如我接办这个案子，我不能从你们黑人得到一个钱。此外，我再也不要代表黑人出庭了。比我好的律师们已经那样毁掉了，我不要弄一个‘黑奴律师’的头衔。”

亨利一面把他的身体的重量从一只脚移向另一只脚，一面咬他的嘴唇。他不知道说什么好了。他站在那个房间中央，要想出一个为他父亲取得援助的办法。

“我父亲从来不曾说他要杀死路德先生，”亨利辩白道，“他同路德先生从来处得很好。我们从来都不麻烦路德先生。人人可以告诉您这个，路德先生农场上所有别的佃户都可以对您说，我父亲从来拥护路德先生。他从来不曾说他要伤害路德先生。”

那个律师摇手拦住他。他已经听够他要听的话了。

“我对你说过了，我不要碰这个案子，”他忿忿地说道，同时抓起一些文件来拍打他的书桌，“我不要去出庭，浪费我的时间，辩护一个总归没有两样的案子。每隔一些时候罚一次苦力，在你们黑人是一件好事。阿伯·莱坦恐吓过波力克先生，或他不曾恐吓过他，没有什么两样。阿伯·莱坦说过他不要搬出农场，是不是？得，那就可以在法庭里判他的罪了。当这件案子提出受审时，法官要听的只有这一点。他就要罚作苦力比跳蚤跳得还要快。一个律师既然知道结果怎样，谁也不肯化费很多时间去准备一个案子。假如其中有钱，那可能两样。可是你们黑人连一个小钱儿也没有得给我。算了，我不要接这个案子。就是拿着十尺长的竿子，我也不要去碰它。”

亨利退出莱木塞·克拉克的事务所，走向监狱去。他得到见他父亲五分钟的许可。

亨利进来时，老阿伯正坐在囚笼里的床架上向栅栏外边看。看守进来，站在笼门旁边，亨利后面。

“你见过一个律师，对他说，我从来没有对路德先生说过那一类的话吗？”老阿伯第一件事问道。

亨利看他父亲，但是他觉得难于回答。他一面摇头，一面把眼光垂得只看见地板。

“你试过了，是不是，亨利？”老阿伯问道。

亨利点头。

“那末，你既然对那些律师们说过，我整整一辈子从来没有对路德先生或他以前他的爸爸说过一句讨厌的话，他们没有说他们就要援助我出狱吗？”

亨利摇头。

“那些律师说什么呢，亨利？你既然对他们说，我从来尊敬路德先生，我一辈子为他用力作工，从来不提分收成的话，他们没有说，那末他们就援助我吗？”

亨利歪过头来，以便从笼子栅栏中间看他父亲。他艰难地咽了好几次唾沫，才说得出话来。

“我已经见过三个律师，”他终于说道，“他们三个都说，他们无能为力，只好等待受审。他们说，他们没有一点办法，因为法官终归要罚您一个时期的苦力的。”

他停了一会儿，从栅栏中间向下看他父亲的脚。

“假如您愿意的话，我可以去看一看，我能不能找一些别的律师接办这案子。不过不会有多大好处。他们只是什么都不肯作。”

老阿伯坐在床架上，低头看地板。他无法了解为什么没有一个律师肯援助他。随后他抬起头来，隔着栅栏看他的儿子。他的眼睛很快地充满他不能控制的眼泪。

“那些律师为什么说，法官总归要罚我一个时期的苦力呢，亨利？”

亨利一面抓住栅栏，一面想：这许多年他眼见他的父母为路德·波力克在棉田里作工，只得到口粮，几件衣服，和一所房子住，此外一无所有。

“他们为什么那样说呢，亨利？”他父亲追问道。

“我以为，因为我们不过是有色人种罢了，”亨利终于说道，“我不知道他们像那样说话还有别的原因。”

看守在亨利背后走上来，用棍子杵他。亨利走过一排一排的笼子中间的穿廊，走向通街道的门口去。他不曾向后看。

女　儿

E. 加德维尔

日出时一个去大房子喂骡子的黑人把消息带给了亨利·麦施威上校，于是亨利上校用电话通知了保安员。保安员把吉木解到城里，锁进拘留所，然后回家去用早餐了。

吉木一面绕着空囚房走，一面扣衬衫上的钮子，随后他坐在床架上，结起他的鞋带。那天早晨各样事发生得那末快，他连喝一点水的时间都没有。他站起来，走向门口旁边的水桶，但是保安员忘记了装水进去。

那时拘留所的院子里有几个人站在那里。吉木听见他们谈话，就走去窗口处向外看。就在那时，另一辆摩托车开过来，从里边走出六七个人。别的人们从街道两端向拘留所走来。

“今天早晨你们那地方出了什么事啦，吉木？”有人说道。

吉木把下巴伸到栅栏中间看人群里的面孔，他认识那里所有的人。

他在推测城里人怎末会都听说他在那里，这时另外有人对他说话了。

“一定是失了手，是不是，吉木？”

一个运一车棉花去轧的黑种少年从街上经过。车子来到拘留所前，那个小伙子用缰绳头打拉车的骡子，打得两匹骡子跑起来。

“眼见州里同你过不去，使我难过，吉木。”有人说道。

保安员手里摇摆着一个铁皮饭桶从街上走来。他从人群里挤过，开了门上的锁，把桶子放在里边。

几个人从保安员身后走上来，从他的肩头上向拘留所里看。

“这是我的老婆给你预备的早餐，吉木。你还是吃一点好，小吉木。”

吉木看了看饭桶，看了看保安员，看了看敞开的拘留所的门，他摇了摇头。

“我不觉得饿，”他说道，“不过，女儿先前饿呢——非常饿呢。”

保安员一面向门外倒退，一面伸手去摸他的手枪柄。他倒退得那末快，他踏上他身后的人们的脚趾头。

“哪，你不要胡闹呵，小吉木，”他说道，“坐下来平静一下吧。”

他把门关上，锁起。向街道走过几步以后，他停下来，看他的手枪膛是否装了弹。

窗子外的人群挤得更密了。其中有一些人拍栅栏，拍到吉木走过来，向外看。他看见了他们，一面把下颌伸到铁栅栏中间，一面用手抓住。

“怎末搞的，吉木？”有人问道，“一定是失了手，是不是？”

吉木的长脸似乎可以伸过栅栏来。保安员来到窗子前看各种情形是否妥当。

“哪，不要急，小吉木。”他说道。

要吉木说经过情形的那个人，用臂肘把保安员推开。别的人们挤得更紧了。

“怎末搞的，吉木？”那个人说道，“是不是失了手？”

“不是，”吉木在栅栏上扭动着手指说道，“我拿起猎枪就那样干了。”

保安员又挤向窗口来。

“说下去，吉木，把所有情形告诉我们。”

吉木的脸塞进栅栏中间，看样子好像他的头所以出不来，只是受了耳朵的妨碍。

“女儿说她肚皮饿，我再也受不住了。我实在不忍得听她那样说了。”

“不要吵闹呵，小吉木。”保安员说道，他刚挤到前面去，就又被人用臂肘推开了。

“她在半夜时又醒了，又说肚皮饿。我实在不忍得听她那样说了。”

有人从人群中一路挤来，一直挤到窗子前。

“喂，吉木，你本可以去我那里要一点东西给她吃呀，你知道我什么都肯给你呀。”

保安员又挤到前边来。

“那末办是不成的，”吉木说道，“我整年作工，赚够我们一家吃了。”

他停下来，向下看栅栏外边那些脸。

“我佃种收入本来够了，但是他们来了，把我所有的东西都拿走了。我既然挣得够养活我们，我不能四处去讨饭。他们公然跑来，把所有东西都拿走了。于是女儿今早醒来，又说她肚皮饿，我实在不能忍受下去了。”

“你现时还是去床上好，小吉木。”保安员说道。

“像这样打死那个小女孩，似乎不大对吧。”有人说道。

“女儿说，她肚皮饿。”吉木说道，“她这样说了整整一个月。女儿总在半夜醒来这末说。我实在忍受不下去了。”

“你应当打发她去我那里呀，吉木。我和我的老婆总可以给她一点东西吃呀。打死像她这样一个小女孩，看起来是不对的。”

“我本来挣够我们一家吃的了，”吉木说道，“我实在忍受不下去了。女儿已经捱了一个月的饿了。”

“不要闹呵，小吉木。”保安员一面说，一面想挤到前边去。

人群两边摇摆。

“你就为了那个，今早拿起枪来打死她啦？”有人问道。

“她今早醒来说，她肚皮饿，我实在受不住了。”

人群挤得更近了。人们从各方面向拘留所走来，来到以后，就挤到前边去听吉木有什么说的。

“现时州里同你作对了，不过总归似乎不大对。”

“我没有法子呀，”吉木说道，“女儿今早又那样醒了。”

拘留所的院子里，大街上，对面空地上，挤满了成年人和少年人。他们都挤到前面来听吉木说话。那时消息已经传遍全市，吉木·加力苏用枪打死了他八岁的女儿克拉拉。

“吉木是谁的佃户？”有人问道。

“亨利·麦施威上校，”人群中一个人说道，“亨利上校已经招用吉木十来年了。”

“亨利·麦施威没有拿走全部收成的必要呀。他自己有的已经很多了。亨利·麦施威拿走吉木的东西也是不合道理的呀。”

保安员又一度挤过前边来。

“现时州里同吉木作对了，”有人说道，“不过，总归似乎不大对呢。”

保安员用肩头挤进人群，挤得更近一点。

一个人把保安员推开。

“亨利·麦施威为什么要拿走你那份收成呢，吉木？”

“他说我欠他的，因为在一个来月前他的骡子有一匹死了。”

保安员挤到带栅栏的窗口前。

“你现时应当上床去休息一下了，小吉木，”他说道，“脱了鞋子躺一躺吧，小吉木。”

他被人挤开去了。

“骡子不是你打死的，是不是，吉木？”

“骡子莫名其妙地死在棚里，”吉木说道，“我并不在那里。莫名其妙地死了。”

人群挤得更厉害了。前边的人们被挤在拘留所的墙上，后边的人们要达到耳力可及的地方。中间的人们彼此拥挤得任何方向都不能动。人人的说话声都高起来了。

吉木的脸塞在栅栏中间，他的手指头抓住铁栅栏，抓得关节变了白。

拥挤的人群移向街对面的空地。有人在叫喊。他爬上一辆汽车，开始用尽气力咒骂。

人群中央一个人挤了出来，走向他的汽车去，他上了车，独自开走了。

吉木握着栅栏站在那里，向窗外张望。保安员背向人群，对吉木说了一点什么。吉木未听见他的话。

一个运一车棉花去轧的人停下来，想知道出了什么事。他对空地上的人群看了一会儿，然后转过来看栅栏后的吉木。隔街的喊声越来越高了。

“什么事呀，吉木？”

隔街有一个人来到货车旁。他把一只脚踏在一条轮辐上，向上看棉花上那个说话的人。

“女儿今早醒来，又说她肚皮饿。”吉木说道。

保安员是唯一听得见他的话的人。

棉花车上的人跳下地来，把缰绳系在车轮上，从人群中挤向发出所有叫骂声的汽车旁。听过一会儿以后，他回到街上，叫过站在街角上的几个黑人中的一个，把缰绳递给他。那个黑人把棉花车赶去轧棉厂，于是那个人又回到人群里来。

就在那时，那个独自把汽车开走的人回来了。他在驾驶轮后面坐了一会儿，然后跳下地来。他打开后车门，拿出一条像他一样高的铁链。

“撬开拘留所的门，放吉木出来吧，”有人说道，“把他关在里头是不对的。”

空地上的人群又动起来了。站在汽车顶上的那个人跳下地来，人们向着拘留所拥到街上来。

第一个来到街上的人，把插在软土里的六尺长的铁链拔出来。

保安员向后退去。

“哪，不要闹呵，小吉木。”他说道。

他转过身子，赶快沿街走向他的住宅去。

凌　迟

J. 斯坦倍克

市公园中，大的感情波动，人们的旋转和叫喊，逐渐归于寂静。有一群人依旧站在榆树下，被两段地外一盏蓝色街灯模糊地照出来。人们感到一种疲倦了的安静；人群中有一些人开始溜向黑暗中去。公园草地被人群的脚踏碎了。

麦克知道，事情完全过去了。他觉得出他内心的怅惘。他像一连几夜未睡那末疲乏，不过那是作梦一般的疲乏，一种朦胧安适的疲乏。他把便帽拉到眼睛上面，然后移开去，但在离开公园以前，他转回去看最后一眼。

人群中央，有人点上一卷报纸，举了起来。麦克可以看见火焰绕着悬在榆树上的赤裸的灰色尸体的双足上腾。黑人死后变成淡青色，他觉得似乎奇怪。燃烧的报纸照亮那些静默的不动的向上看的人们的头；他们不从吊死的人身上移开眼睛。

麦克对那个想烧尸体的人感到一点不满。他转向微光中站在他旁边的一个人。“那是没有什么好处的。”他说道。

那个人一声不响移开去。

报纸作成的火把熄了，相形之下，使得公园几乎变黑了。但是另一卷立即点起举向那一双脚。麦克移向另一旁观者。“那是没有什么好处的，”他重复道，“他现时已经死了。他们一点也不能奈何他了。”

那第二个人嘴里嘟嘟囔囔，但眼睛并不离开那张燃烧的报纸。“这是一件好事，”他说道，“这样可以省掉本县一大笔钱，也免得下流的律师挑眼。”

“我也那末说，”麦克同意道，“不要下流的律师。不过想烧掉他是没有什么好处的。”

那个人继续看火。“哦，也不会有很多坏处呀。”

麦克四下里张望。他觉得不快活。他不曾看够。这是一件后来他要记得起对人谈的事，但那迟钝的疲倦之感似乎把那画面的鲜明意味割除了。他的脑筋对他说，这是一件可怕的重要的事，但是他的眼睛和感情不同意。这不过是很平常的。半个钟头前，他与别人一同咆哮，争取参加扯绳子的机会，那时他是那末满怀高兴，他觉得他哭起来了。但是现时一切都死了，一切都不是真的；那个黑色的人群是由静止的人体模型合成的。在火光中，那些脸像木头一般没有表情。麦克也感到他自己心中的僵硬和空虚。他终于转过身子走出公园去。

就在他离开人群外缘那一刹那，他起了一种冷淡的孤寂之感。他匆匆地沿街走下去，希望身边有别人同走。那条宽阔的街道是寂寞的，空虚的，像方才的公园那样无实感的。那两条电车钢轨在电灯下面沿街伸开去，暗黑的商店窗子反映出夜半的街灯。

麦克的胸部开始轻轻地作痛。他用手指去摸；那里的筋肉痛。这时他记起来了。当人群冲向关起的狱门时，他在第一线。一道四十个人深度的推进线像撞锤尖一般把麦克挤在门上。他当时不大觉得，即使在现时，那痛楚也似乎是具有孤寂的迟钝性质。

两段地前，霓虹光作成的“啤酒”两个字悬在人行道上。麦克跑过去。他希望那里有人，可以谈谈，除去这种寂静之感；他也希望那些人不曾去看凌迟[1]。

小酒馆中只有掌柜一个人，他是一个中年的小个子，留有阴郁的上髭，具有一个老耗子的表情，乖巧，柔顺，胆怯。

麦克一走进，他连忙点头。“你的样子好像睡着走路呢。”他说道。

麦克怀着惊奇打量他：“我也觉得我好像睡着走路呢。”

“得，假如你愿意，我可以使你喝一个醉。”

麦克迟疑了。“不必啦——我有一点渴。我来一杯啤酒吧。……你当时在场吗？”

那个小个子又点他那耗子一般的头。“直到末尾，直到他万事皆休，一切都完。我以为很多人会口渴，所以我回来，又开了店门。到此为止，除了你没有人来。或许我猜错了。”

“他们可能过一会儿来，”麦克说道，“公园里依旧

[1] lynching——美国人加于有色人种的私刑，种类繁多，而归结于吊死或烧死。据传说，此刑由 Lynch 作始，故以为名。译为“凌迟”，不仅声音相近，亦因施刑者，于杀囚前后，别加苛虐，有类古之凌迟也。——译者注。

有很多人呢。不过，他们冷下去了。其中有人想用报纸烧掉他。那是没有什么好处的。”

“没有一点好处。”那个小掌柜说道。他拈他那薄薄的胡子。

麦克敲进啤酒里几粒塘蒿盐，然后长饮了一口。“好啊，”他说道，“我有一点乏了。”

掌柜隔着柜台俯向他，他的眼睛亮起来：“你从头到尾都在那里吧——去监狱等等？”

麦克又喝了一口，然后透视他的啤酒，看一颗一颗的泡子从杯底的盐粒腾起。“从头到尾，”他说道，“我是首先进监狱的一个，我也参加扯绳子。有一些时候市民们不得不用私刑。下流的律师一出面，就把一个坏蛋弄出去了。”

那颗耗子脑袋颠上颠下。“你说得对，”他说道，“律师总可以把他们弄出去的。我以为那个黑小子确乎是有罪的。”

“噉，当然，有人说他甚至招认了呢。”

那个头又从柜台上探过来：“那是怎样发生的，老兄？事情过去以后，我才到那里，只留了一小会儿，就回来开店门了，预备有人可能要喝一杯啤酒呢。”

麦克喝干他的杯子，然后推开来添酒。“哈，当然人人知道这事就要发生了。我在监狱对面的酒馆里，整个下午都在那里。一个人进来说，‘我们还在等什么呀？’于是我们走过街去，很多别人在那里，也有另外的很多人来。我们都站在那里喊。于是执行官出来，发表一篇演说，但我们把他吆喝下来。一个拿二十二号枪的人沿街走来，把街灯打灭。得，这时我们冲狱门了，把狱门撞开了。执行官什么都不要作。枪杀一大些忠实的人们，来救一个黑种坏蛋，对他是没有什么好处的呀。”

“况且就要选举了。”掌柜插嘴道。

“嘿，执行官开始喊了，‘不要抓错人哪，诸位，千万不要抓错人哪。他在下面第四间呢。’”

“那是有一点惨，”麦克慢慢地说道，“别的囚犯们非常害怕。我们可以隔着栅栏看见他们。我从来不曾见过像那样的脸。”

掌柜糊糊涂涂地倒给他一小杯威士忌，然后又倒回去。“不能多怪他们。设想你去里边关三十天，一伙用私刑的人们冲进来了。你一定怕他们抓错人的。”

“我是这样说。那是有一点惨得，我们到了那个黑小子的囚房。他像醉得不省人事一般闭着眼睛站立不动。有一个人用拳头把他打倒，他又站起来，随后别人又打他，他倒下去，头撞在士敏土地板上。”麦克俯在柜台上，用食指扣那光滑的木头。“当然这是我的意见，不过我认为那一下把他打死了。因为我参加剥他的衣服，他始终不动一动，当我们吊起他来时，他也完全不抖动。不，你老。我认为，在第二个人打过他以后，他就一直死下去了。”

“得，到了都是一样。”

“不，不一样。你愿意把这件事作得恰当其可。他是自找的，罪有应得。”麦克摸索裤袋，拿出一块撕破的蓝斜纹布来，“这是他身上穿的裤子的一块。”

掌柜俯近来仔细看那块布。他突然向着麦克翘起头来。“我可以给你一圆钱，把这东西卖给我吧。”

“啾，不成，你买不到！”

“得，我可以给你两圆，买半块吧。”

麦克犹犹疑疑地看他，“你要这东西作什么用？”

“来！把你的杯子递给我。喝一杯啤酒，算我的。

我要把这东西钉在墙上，下面挂上一张卡片。来这里的人们会喜欢看一看的。”

麦克用折刀把那块布割成块，然后从掌柜手中接过两个银圆。

“我认识一个写招贴的人，”那个小个子说道，“每天来这里。他可以替我写一张可爱的小卡片，挂在那东西下面。”他露出慎重的神气，“你以为执行官会捉什么人吗？”

“当然不会啦。他为什么要惹麻烦呢？今晚那人群中有不少票呢。到他们走光的时候，执行官会过来，把那个黑小子割下来，清理一番。”

掌柜向门口看：“我以为人们要喝酒的，大概我猜错了。时候不早了。”

“我相信我该回家了。我觉得乏了。”

“假如你向南走，我可以关起店门，同你走一段路。我住在南八路。”

“哈，离我的住处只隔两段地。我住在南六路。你一定经过我的住处。奇怪我从来不曾见你走过呢。”

掌柜洗净麦克的杯子，解下长围裙。他戴上帽子，穿上外衣，走到门口处，扭熄红色的霓虹招牌和室内的电灯。两个人在人行道上站了一会儿，回头向公园看。城市是静的。公园里没有声音。一个警察从一段地外走来，用他的手电灯照进商店窗子。

“你看，”麦克说道，“就像什么事都不曾发生过呦。”

“嘿，假如人们要喝一杯啤酒，他们一定去了别的地方喽。”

“我对你说过啦。”麦克说道。

他们沿空虚的街道摇摆下去，然后转向南方，离开商业区。“我姓威尔契，”掌柜说道，“我来本市不过两年左右。”

麦克又起了孤寂之感。“有趣——”他说道，过了一会儿，“我生在本市，生在我现时住的房子里。我讨了老婆，不过没有孩子。我们两个都生在本市。人人认得我们。”

他们向前走过几段地。商店落在后边，带葱茏的花园和整齐的草地的漂亮房子排列在街道两旁。街灯把高树的影子投在人行路上。两条守夜狗缓缓地走来，彼此相嗅。

威尔契轻轻地说道——“我想知道他是一个什么样的人——我指的是那个黑人哪。”

麦克怀着他那孤寂之感回答：“报纸上都说他是一个坏蛋。我读过所有的报纸。它们都那末说。”

“不错，我也读过。不过，你反而要知道他的情形。我认识几个很好的黑人呢。”

麦克转过头来，抗议道：“哈，我也认识一些非常好的黑人。我同一些黑人一道作过工，他们像你所重视的白种人一样好。——但不是没有坏蛋哪。”

他的激动使小威尔契静默了一些时候。后来他说道：“我以为，你不知道他是什么样的人呢？”

“不知道——他一味僵硬地站在那里，闭着嘴，合着眼，两手下垂。后来有一个人打他。我以为，当我们拖他出来时，他已经死了。”

威尔契在人行道上侧着身子靠过来。“这一带有很考究的花园。要用好多钱来维持。”他走得更近一点，因而他的肩头触到麦克的臂膊，“我从来不曾看过凌迟。你觉得怎样——后来？”

麦克避开那接触。“你什么也觉不出。”他低下头，把脚步加密，那个小掌柜几乎非跑跟不上了。街灯少下去。比较暗，也比较安全了。麦克突然说道：“使你觉得有一点寂寞，有一点疲倦，但也有一点满足。好像你作完一件好事——但是疲倦，也有一点想睡。”他的脚步慢下来，“看，那个厨房里有一盏灯。那就是我住的地方。我的老婆在等我呢？”他停在他的小住宅前面。

威尔契怯怯地站在他旁边：“当你想喝一杯啤酒——或醉一下子时，来我的地方吧。店门一直开到半夜。我待朋友很公道。”他像一头老耗子一般匆匆忙忙地溜走了。

麦克喊道：“再见。”

他绕过他的住宅，进了后门。他那瘦弱的暴躁的老婆坐在开着的煤气炉前取暖。她把含怨的眼睛转向站在门口处的麦克。

随后她的眼睛睁大，盯住他的脸。“你同一个女人睡过，”她沙声说道，“你同什么女人睡过？”

麦克大笑起来：“你以为你很精明，是不是？你是一个精明人，是不是？你凭什么说我同女人睡过？”

她忿忿地说道:“你以为我不能从你脸上的神气看出你同女人睡过吗？”

“好啦，”麦克说道，“假如你是那末精明，那末练达，我什么都不对你说了。你可以等明天的早报。”

他看出那双不满足的眼睛露出犹疑的神气。“是那个黑人吗？”她问道，“他们干掉那个黑人了吗？人人都说他们要去干了。”

“既然你是那末精明，你自己去打听吧。我什么也不要告诉你。”

他穿过厨房，进入浴室。墙上悬有一面小镜子。麦克摘下便帽来，照他的脸。“真的，她说对了。”他想道，“我的确觉得刚好是那样。”

附　录

《自由的道路》（书评）

要知道一个国家的对外政策有多少诚意，最好先看一看它的对内政策。因为对外政策总附带许多外交辞令，许多仁义道德的饰词，一般人不容易窥见它的真相。至于对内政策，大概是自己家内的事不需要外人谅解的缘故吧，就比较来得坦白露骨，也就比较容易明白。明白了之后，我们就可以判断：一个国家固然可以对内比较民主而对外不民主；但是，反过来说，假如它对内不民主，对外就断乎不会民主。因为薄于亲者近者而厚于疏者远者，既不合乎常情常理，也是从来没有的。进一步说，假如一个国家对国境以内的同国籍的少数民族采取一种歧视的高压的残酷的政策，而它对别国的弱小民族反能一视同仁，加以真心的援助，那是事理之所必无，也是无论如何不会使人相信的。再进一步说，假如一个白种国家对国境以内的同国籍的有色民族采取一种赶尽杀绝或视同牛马的政策，而它对别国的有色民族（虽然颜色有深有浅，但是没有人把这个看作偏爱或偏憎的理由）反能友好亲善，施以大公无私的援助，那也是事理之所必无，无论如何不会使人相信的。因为，如前面所说，薄于亲者近者而厚于疏者远者，是不近人情的。用苏老泉的话来说，“凡事之不近人情者鲜不为大奸慝！”

为了这个缘故，我译出若干篇加德维尔的小说在本刊（《中国建设》）发表，希望读者把这几篇小说当作解谜的钥匙，用来解美国对外政策的谜。

最近有一位青年朋友，开始翻译另一部关于美国黑人的小说《自由的道路》，常来同我讨论其中的问题，使我略知书中的梗概，不过我还不曾有时间从头细看这部书。这期间又看到谢尔格耶娃（N. Sergeyeva）所作本书的书评，对作者伐斯特（H. Fast）和他这部书作了很扼要的介绍。我觉得不妨先给中国读者看看。加德维尔的小说所反映的是当代的现实，《自由的道路》则从已往的历史着眼，合起来看，一定能得到一个更正确更清楚的观念。那位朋友的翻译，现时已经完工，不过出版条件困难，与读者见面恐怕还有一段时间。我不想逐字逐句翻译这篇书评，只把大意写下来，作此书译本的先容吧。

伐斯特是现代美国重要作家之一。他的书已经译成许多种文字，但是他在美国以外却不大著名。他是一个比较年轻的作家；他的第一部书一九三二年才出版。在过去十年间他已经写了好几部优秀的作品了。

从第二次世界大战开始以来，伐斯特在美国内外已经不仅以天才作家著称，也以美国进步人物之一著称了。在过去几年内，进步的美国知识份子发起种种运动，反对帝国主义，反对愚民政策，反对散布仇恨和战争的罪恶宣传，几乎没有一次没有伐斯特参加。他的名字列入了非美活动委员会的黑名单。他的历史小说《公民潘恩》（*Citizen Tom Paine*）被美国反动教育当局禁止在学校图书馆陈列。好来坞奉令不得把他的小说《克拉克顿》（*Clarkton*）制成电影。伐斯特本人也被判以“藐视国会罪”，受三个月的监禁。

伐斯特所写多是历史小说，他的小说在现代美国受诬蔑，受排斥，这事实具有很重大的意义。《一千个美国人》(见《一千个美国人》一书，一译《豪门美国》)排斥他的作品，因为他的作品，揭穿了他们那骗人的宣传。伐斯特的小说写出了历史的真相，其中富有热烈的爱国心，人民爱，和对美国平民心理和生活的了解。伐斯特用他在学校里所受的公民教育——“美国民主”的理想——作标准，来考验历史的事件。他指出有权力执行这些理想的人们，在美国历史的各阶段，怎样用这些理想来欺骗民众，把民众变成他们自私心和贪婪的阶级目的的工具。

伐斯特的历史小说具有非常重大的现代意义。这不仅因为人类的感情，在天才的忠实的描写下，可以经久常新，也因为美国从十九世纪袭承的社会罪恶在二十世纪达到空前的露骨程度，在目前我们可以格外清楚地了解那些罪恶的根源，过去用神话或谎话遮掩的许多历史事件的内幕，在目前都见了天日了。

《自由的道路》是伐斯特最好的诸小说之一。其中叙述的历史事件属于紧接南北战争之后的一个时期。大多数人名和地名是虚构的，但是所有故事中的重要节目都是凿凿有据的历史事实。主脚吉典·杰克生是当时几个黑人政治家的结合体。

血淋淋的南北战争过去了。兵士们散归乡里了。南部诸州被北方派去维持秩序的军队占领了。四百万黑奴得到了自由。二十万黑人在联邦军中作过战。他们这时回了家，住进新垦地上他们白色主人放弃的木屋。

黑人之一，吉典·杰克生，回到南加罗林纳州卡威尔垦区。他是一个高高的不胖不瘦的人，由于疲劳，腰有一点弯。他手里拿着一杆枪，身上穿的是联邦军兵士褪了色的蓝制服。同村的人们有了困难都去求他，他就是这样一个人。

这是在一八六五年。垦区的主人达德莱·卡威尔已经搬去查理斯顿。监管的人们都走了，但是先前的奴隶留下来，因为“这是他们的家，他们的土地，他们的乡国”。他们不种棉花——他们在垦区的低原上种青菜，玉米，和稻米，也养几只鸡和猪。

他们没有知识，受过蹂躏，受过恐吓，但都是一些勤苦的善良的和平的人。除了他们的教士彼得以外，他们中间没有一个识字的。他们有许多人连姓都没有——他们还不曾有机会选一个呢。他们中的大多数一生连查理斯顿那末近的地方都未到过。

这个无知的可怜的黑人社会听到了城里令人纳闷的消息：黑人们要选举自己的代表，参加一月十四日在查理斯顿举行的会议，为本州制定宪法。黑人们不知所措了。就连选举、投票、宪法、会议这些名词的意义，他们中间也没有一个人懂。

吉典是他们选出的代表，也是那个社会中唯一会写自己的名字的人，但是，教他去查理斯顿、领委任状、参加会议的那个官方文告中的话，就是他听起来也像天书。

吉典年已三十六岁。但是他不过是一个黑人。他的背上布满了监管人留下的鞭痕。他自己和同种人的无知和无告使他非常难过。

> 法律说，黑人自由了，法律说，投票选举，
> 法律说，黑人脱离奴隶状况——成家立业。
> 黑人不能读，不能写，甚至不能思想。奴隶为
> 了思想挨鞭子，或被卖到河下流去。奴隶为了
> 学读书挨三百鞭子。

吉典的第一个念头是要受教育。在徒步去查理斯顿的路上，他遇见一个学校教师，于是劝他定居在卡威尔，教垦区上的孩子们。

他要知道的是：我们现时自由了——很好——但是我们要这自由作什么呢？每一个黑人都有同样的感觉。人人无法处置他所承受的权利。他对他耕种了多少年的土地和他的老木屋有什么权利吗？他们下一步作什么呢？他们怎样成家立业呢？

吉典来到查理斯顿，他觉得更加糊涂了。他觉得这个大城市是生疏的，有敌意的。他不知道去哪里找住处。他连怎样提出作代表的权利也不知道。他挨着饿去作码头工人，赚了五角钱，才有东西吃。

这个新近作过南部主人的白种开垦者的城市，在吉典看来，是一堵活的跳动的仇恨的墙。只要北部军队在那里留一天，这些开垦者就在他们关闭起来的房子里安安静静地坐一天；但是查理斯顿使人想到一桶带点着的信子的火药。联邦军队的司令官们也有这种感觉——例如，杰木斯少校就是一个。他觉得南部依旧是敌人的土地。他把去他那里请求连署委任状的会议代表看作一群无知的污秽的乌合之众，把那个会议看作“美国过激派”疯狂的白痴的想法。

一个大个子黑人来见杰木斯少校，身上穿的是别人穿过的黑军衣，白衬衫小得裂了缝，还有一双补过的旧靴子——这就是卡威尔——辛克顿区的代表吉典·杰克生。他已经徒步来到查理斯顿。

杰木斯少校去见他的长官格雷士上校，作了下面的对话：

“大人，我们必得让这种人入席吗？”

“只要他是合法选举的。”

“他有文件。他们都是的，假如我们把这个唤作合法选举。”

格雷士上校冷冷地说道：“我不怀疑这选举。请记住，老兄，这些黑人在我们最危急的时候忠心于我们呢。”他们两个人本来处得很好；格雷士的从军是自愿的，并且以此自豪；他是废奴主义社会出身的。

“我提醒您，大人，本市不会让田野劳动

者的会议来统治他们呢。”

“我对你说，老兄，”格雷士上校平静地说道，“本市一定要照我们政府的命令行事。……”

于是杰木斯少校回去，批准吉典参加南加罗林纳州的立宪会议。

本书对吉典的变化作了生动的感人的描写。他渐渐地找到了住处和朋友，发见了政友和政敌。会议中有许多像他那样摸路的没有知识的人。这也不限于黑人，还有穷白人，像他们一样的土地劳动者。吉典的天赋帮助了他。他那诚实正直的性格博得他所遇见的人们的同情。这个来自卡威尔垦区的黑人日夜学习。在会议中，他先坐在那里听，随后他开始说话了。他读了许多，也想了许多。

这个无知无识的黑人渐渐地发展成一个聪明的自信的政治领袖，一个具有政治家头脑的人。他依旧受怀疑和忧虑的苦恼，但是他懂得了受过教育的黑人加斗佐劝告他的话，那就是，必须有人演领袖的脚色呀。在那四百万黑人中间，能读能写的人非常少。一生用手工作的吉典·杰克生，这时开始用脑筋工作了。他不久就可以想出他所要求的东西了。他在同加斗佐的谈话中说道：

> 我从宪法要求什么呢？这可能不是你们大家的要求——我要求知识，要求为全体黑白两种人的知识。要求像铁篱柱一样可靠的自由。要求没有人把我从街上推开。要求一个黑人可以终生耕种和收获的小农场。

会议开幕时，南加罗林纳前州长奥尔发表了一篇满含隐恨的演说，他使代表们相信，“他们并不代表本州的智力，财力，以至潜力”。至于普遍选举权的议论，那不过是一种梦想罢了。

代表们不知所措了。一群白人和黑人——都是穷人——讨论常时的形势。一个白种农民说道：

> “平等这东西，除非我们用力支持它，就没有用处。他们当然要说服你；他们也要说服我。你是一个黑色的奴隶；我是一个白色的穷

光蛋。……我并不爱黑人，不过我喜欢这种二加二等于四的想法。这种想法告诉我，只要我们不发昏，我们可以作什么；但是它并未告诉我，他们就要停止叫我们作畜生。”

“你要怎末办呢，白种人？”一个人问道。

“要镇静。由这个会议带来学校和选举权。……”

“土地怎末办呢？假如你没有生产粮食的手段，学校和选举有什么用呢？”

“土地，”那个白种人咀嚼着这个名词说道，“老兄，向他们要土地，他们就要同你拼命了。这个宪法不会给土地的；假如我们要土地，我们只好去作工，流汗，然后去买。”

“我们不是在那块土地上工作了一百来年吗？不是由我们来耕种和收获吗？随后他们用力破坏这地方。谁对那块土地有更大的权利呢？”

“这不是权利问题呀，老伯伯，这是财产问题哟。我不要好高骛远，我只要求办得到的。”

吉典·杰克生还在查理斯顿的时候，就开始成了反动势力的死对头。几年以后，南部黑人和穷白人在巩固既得权利上所作的努力，都被这一反动势力摧残了。南部垦地主一向靠榨取黑奴的劳动来造成他们广大的财富。奴隶乃是南部财富的基础。他们像物件一般被人买卖。北军解放了奴隶，垦地制度一下子就垮了。奴隶主们为了保全他们用奴隶劳动维持的糖田、棉田、稻田、烟田，曾经流血成河，但是他们失败了。

> 奴隶解放了，垦地主过去拥有的百万、百万、百万金圆的资本被取走了，一夜之间化为淡薄的空气。一整个阶级，一个民族的统治阶级，像这样一下子被剥夺了财产，恐怕是史无前例的呢。

一开始受了打击的奴隶主们潜伏不动。他们不参加选举，不出席会议。在南加罗林纳，黑人比白人多。他们在会议中占多数——一百二十四个代表中有七十六个是黑人。会议要在南部创立一个新政治制度，保障平等。垦地主等待他们的时机。进攻和破坏这个新制度的念头也就在这时渐渐成熟。

奴隶主之一斯提反·贺木斯，以为不出席是错误的，把会议看作马戏班，把代表们看作猴子，也是错误的。会议的进行方式使他非常震惊。

> “经过一代这样的教育，我们就要成为一种模糊的记忆了，”贺木斯断言道，“还有一点，会议已经提议和呈请再分土地，把垦区分成小农场。再加上教育，你就听见垦区的丧钟了。会议已经把各地种族和肤色的平等合法化——想一下吧，诸位。会议已经使我们相信，黑人就要与白人一同陪审，黑种法官就要听审；让这种事发展下去，朋友们。会议已经保障了投票——于是你们一切合法化的权力梦都完蛋了。”

为要说服他的奴隶主朋友们，贺木斯拿吉典·杰克生作例，同他们争论道：

“两三年以前，他一个字也不识。再上去几年，他是卡威尔的奴隶。你们今天晚上见过他吗？他是一个猴子吗？这些我们买卖了两百年的黑人的潜力是什么样的呢？我们不知道，诸位，我们也不敢猜想。像吉典·杰克生这样的人会容易放弃他们拿到手的东西吗？他们也不是孤立的呢；他们正在学习同白种穷光蛋合作。在我们需要这些穷光蛋作战以前，我们是看不起他们的。于是这些替我们打过仗的白种人也在开始思想了。”

认识群众——黑白两种人——潜力的贺木斯，想出一个穷凶极恶的计划。吉典等人所梦想的东西，他们要不惜一切代价来加以阻挠。一定要使黑白两种人返回他们先前挨饿的奴隶地位。

于是三 K 党那有组织的恐怖的念头发动了。

贺木斯说明了他的计划。联邦军队在南部逗留一天，他们必须避免大规模的恐怖行为，仅只时时“使一个黑小子守本分”，用私刑收拾他。凡能参加政治的人都要参加，不以反对派的身分参加，却以愿意从事复兴工作的人的身分参加。他们必须等待两三年，或至五年，等到北军撤退为止。他们要破坏北部对黑奴的同情心。他们要把黑人宣传成一种黑色的野蛮人。他们要取得北部需要棉花的工业界的支持，要用廉价劳动作饵来取得。

到那时，贺木斯说，我们就要用武力和恐怖来进攻，把这东西破坏得它永远不再抬头。于是黑人又回到他应有的样子——一个奴隶。

本书第二卷说明南部垦地主怎样进行他们那个穷凶极恶的计划，叙述黑人的基本人权被剥夺的可悲的故事。

吉典回了家。卡威尔已经有了一个学校。黑种教师一开始只教黑种儿童，但是偏见逐渐失势，白种农民也送他们的孩子入学了。靠了坚苦的倔强的学习，他的儿子哲甫得到了医学文凭，以医生的身分回到卡威尔。

土地是一个棘手的问题。黑人原希望，解放以后，每人可以得到“四十亩地和一头骡子”，但是会议并未给他们土地。

土地随时可以拿来拍卖，新的地主随时可以来把黑人从他们用汗浇灌的土地上赶走，从他们亲手建造的居住多年的木屋中逐出。

但是吉典，由于他是大会代表，由于他是国会议员，也由于他同北部有钱有势的人的接触，得以从一个慈善银行家借了一万五千元。这一笔债得到很好的保证：土地是肥沃的，黑人是勤苦的，棉花的需要是没有限量的。债是一定可以偿还的。在拍卖场上，一群紧张的兴奋的卡威尔农民——黑白两种都有——买了一块地，他们朝思暮想的无价之宝的地。

随着是短短的幸福的几年。黑白两种农民耕田，起屋，养牲畜，结婚，生小孩。他们活下去。但是这生活，这劳苦者最起码的幸福，是多末没有保障啊！这一点脆弱的建设，官方唤作南部的复兴，吉典和伐斯特唤作民主，而敌对的势力却在偷偷摸摸地一声不响地加以破坏。事实上，这是一群黑白两种耕者想变成小独立农民的一种尝试。可怜的尝试，在南部大地主和北部大工业家的联合势力下，受到了摧毁。原来北部大工业家不过把废除奴隶制当作解放廉价劳动力的一种手段。土地从人民的手中落入投机家、独占者、银行和铁路的掌握。

过去卡威尔垦区上的奴隶们却天真地相信他们可以保有土地呢。

第二卷书以吉典·杰克生见格兰特总统开端。这是格兰特卸任前的一些日子。海斯已经当选为总统——当选的代价是对南部垦地主让步。海斯应许从南部撤退军队。选举已经决定了。吉典知道这是他入美国总统府的最后一次了。

他说，南部的复兴工作已经中断了，没有希望了。民主的势力受过严厉的考验，证明解放了的黑人可以与那些穷白人共同生活，共同工作。那些穷白人事实上是与黑人同等的奴隶。他提醒总统说，黑白两种人共同生活，建立公共的学校和公共的法庭，是美国有史以来第一次。这时这一切都失败了。垦地主已经复活了三K党。仅仅靠了联邦军队的驻守，南部的秩序才能维持。一旦军队撤退，三K党就要出来抢掠，暗杀，放火，直到已经建设起来的东西消灭得无影无踪，然后告一段落。

吉典给格兰特看敌党通同作弊的证明文件：这是海斯的两个朋友，马秀斯和孚斯特，所作记录的抄本，载明他们同乔治亚的参议员高登和肯塔基众议员白朗的谈话。

格兰特相信吉典的话。不过他老了，也乏了，没有力量把吉典的请求诉诸舆论，揭露那一贪污的勾当。吉典垂头丧气地回了卡威尔，知道正义是无法伸张了。

> “在华盛顿，我们被人出卖了，”他告诉他的选民道，“我们被共和党出卖了。共和党原是我的党，也是林肯的党呵。那代价就是总统当选。垦地主付了那代价。”

卡威尔的人们目瞪口呆了。他们一开始想不出那祸患的严重性质。他们想不出那逆谋的后果有多大。他们不曾损害任何人，不曾招惹任何人，也不曾干涉任何人。

像先前一样，牲畜平静地在草地上吃草，校钟招集儿童上学。但是，在夜间，三K党凶险的火十字架已经在远山上燃烧。一连八天，暴行连续不断。白袍子的强盗烧掉黑人的木屋，杀死妇女和小孩。黑人们因为不向白人脱帽被吊死，因为学习读书和写字被吊死，因为像自由人一样有一块地耕种被屠杀。有什么办法呢？

三 K 党是当地的败类。南部正经人的数量多过他们一百倍；不过他们有组织，正经人没有。他们有钱；他们有走狗帮他们在华盛顿说话；他们有富有的垦地主领导他们，指挥他们。这些东西我一无所有。

卡威尔的黑人们已经尝到了自由和经济独立的味道，吉典知道，三 K 党永远不会放过他们的。假如他们投降，交出保安队和私刑手所要的无辜犯人，也没有好处。

他们今夜还要来——假如今夜明夜不来，他们总归要来，他们不是一个两个，是许许多多呢。那时他们就要开始消灭我们了，过不多久，他们就用不着法律手续了。……你们可以留在家中，三三两两地被杀掉——你们不会都被杀掉，总有一些可以逃脱。你们可以逃出去，可以雇给什么地方的新垦地，挣取肉皮和黑面和一个睡觉的地方，假如你们不出声，你们可以照那样活下去。

农民们知道，他们的敌人要作的第一件事是把他们从田地上赶走，然后使他们再给白种地主作奴隶。不过他们有枪，因此吉典有一个希望：假如他们用武力抵抗，他们可能与别的农民们联合起来，也可以有时间来组织。

吉典打电报给华盛顿的大总统，给查理斯顿的朋友们，说明卡威尔所受的严重威胁。他并不知道他的电报只能达到电报局发电员的桌子，因为那个电报员就是一个三 K 党。

本书末一章叙述卡威尔黑白两种农民抵抗三 K 党匪徒的最后一幕。那抵抗是坚决的，悲壮的。他们离开他们的木屋，躲进山上垦地主十年前放弃的白色房子里。他们连他们的牲畜也带了去。他们从他们那临时改造的要塞的窗口，看见他们的木屋和仓房的火光，三 K 党放的火。几百个暴徒来进攻那所房子。那众寡悬殊的战斗持续了好几天。黑白两种人到死不放下武器。在一尊大炮的轰击下，那所房子被火烧掉了，与房子一同毁灭的是其中全数防御者——男人，女人，还有小孩。

伐斯特在书中所写，一八七八年黑人农场的破坏和恐怖的流行，都是历史的事实。

伐斯特在本书后记中说明，关于三K党的暴行，有调查那几州的暴动情形的参众两院合组委员会的报告可以作证，那是“十三大卷令人难以置信的事实”。此外还有别的文件，历史考据，当日的报纸，国会的记录。

一八七七年和一八七八年南加罗林纳州发生的事情，先前竟没有人提起，伐斯特解释那缘故道：

> 八年来黑白两种人在南部的自由和合作，受到彻底的摧毁。不仅实物被扫光，人被杀光，连记忆也被抹光了。有权势的人们根本不愿意美国人民知道有过那样一种实验——而且那实验已经奏了效。那实验就是：黑人得到过以与邻人平等的自由人的身分在美国生存的权利，黑人得到过与南部穷白人联合以创造自己的命运的权利以及在创造命运的八年中，他们已经创造了一种优秀的公正的真民主的文化。

伐斯特把黑人和穷白人作独立小农的企图唤作真民主文化的创作，似乎有一点过火。不过这过火是可以理解的：对照着那种非人的奴役生活和三K党的土匪行为，用一千元买一块地、没有监督鞭子的威胁、自由自在地工作，这小小的成就的确像是非常可贵的了。卡威尔白种、贫农和黑人间发展起来的关系，比起目前黑人所受可惊可耻的种族歧视来，在美国黑人眼中，的确像是一种达不到的理想了。

伐斯特的小说是非常入情入理的。他并不要像其他好心肠的作家那样费力去证明“黑人是像你我一样的人”。他的黑人是不折不扣的人。正如一切好书，读者与其中的人物共同生活，分享他们的思想和感情，与他们一同笑，与他们一同哭，为了暴徒的横行霸道、政客的唯利是图愤慨。

对于美国的政治制度，美国的民主假面，《自由的道路》是一种词严义正的揭露。它帮助我们了解现代美国奴役一千三百万黑种居民的政治制度，使黑人成为廉价劳动力的政治制度。三K党的方法完完全全地流传到现代。强有力者的专横依旧受法律的护庇，法律永远站在富人一边。直到今天，受榨取受掠夺的穷人的哭声依旧无人关怀。

美国统治阶级所迫害所摧残的断乎不以黑人为限，这一点可由伐斯特另一部历史小说，《最后的边疆》（*The Last Frontier*），得到证明。这一部小说写美国政府怎样剿灭塞因族的印第安人。这一部分残存的印第安人，未得到许可就离开他们的圈禁地，回了他们故乡的森林。于是，一整个师团——备有骑兵和大炮的一万二千人——对这三百个挨饿的印第安人作战了。在三百个印第安人中间，只有八十个是男人，而达到战争年龄的只有五十个。这部小说里没有一个字谈到宪法，自由，人权。它一味叙述事实。但是，它对于人权所受的蹂躏，帝国主义者的伪言伪行，罪恶方法，反民主的暴行，每一行都是一种激昂的抗议。现今的帝国主义者把伐斯特的小说看作对他们及其威权的挑战，必欲置其作者于牢狱而后甘心，其中的道理是可想而知的了。

《自由的道路》所提出的问题远超过它所描写的历史事件的范围。在今天，南部垦地主所属的阶级用同一的方法压制一个争自由的民族，使他们留在黑暗、无知和奴役中。但是有了很大的不同：在今天，几百万反奴役的战士，不再像吉典及其同志那样在暗中摸索，已经坚定地知道自由的道路在什么地方了。

以上所写只是原书一个梗概，以叙述故事的情节为限。若要知道伐斯特怀着怎样的热情和正义感，用了怎样的现实主义的艺术手腕，处理这一有重大意义的历史事件，那就非读原书或其忠实的译本不可了。

一九四八年九月十五日

三联经典文库第二辑简目

《游击战教程》　明凡 / 著

《游击战术纲要》　陶剑青 / 编著

《汪精卫卖国的理论与实践》　钱俊瑞 / 著

《抗战以来》　韬奋 / 著

《陕行纪实》　楚云 / 著

《随军散记》　沙汀 / 著

《被日寇囚系半载记》　王研石 / 著

《倭营历险记》　房沧浪 / 著

《活跃的新西北》　田影 / 编著

《保卫华北的游击战》　刘清扬　陈北鸥等 / 著

《徐州突围》　《徐州突围》编委会 / 编

《沦亡的平津》　长江　小方等 / 著

《淞沪火线上》　胡兰畦等 / 著

《瞻回东战场》　长江　罗平 / 著

《东线的撤退》　胡兰畦等 / 著

《抗战中的西北》　徐盈 / 著

《鲁闽风云》　徐盈等 / 著

《西线生活》　西北战地服务团集体创作

《中国解放区见闻》 ［美］福尔曼著 / 朱进译

《全面抗战论》 潘汉年 / 著

《日本的间谍》 范士白自述 / 尊闻译

《日本大陆政策的真面目》 国难资料编辑社 / 编

《民众动员论》 李公朴 / 著

《中国外交史》 钱亦石 / 编著

《太平洋军事地理》 蒋震华 / 著

《世界经济地理讲话》 思慕 / 著

《列强军力论》 ［德］马克斯·威纳尔著 / 宾符 仲持 梅益等译

《近代国际关系史》 张铁生 / 著

《太平洋现势手册》 沈志远 石啸冲 / 编著

《近代世界政治史》 钱亦石 / 著

《从战争到和平——一九四五年的世界政治》 乔木 / 著

《战后日本问题》 思慕 / 著

《最近一年间的国际动态（1946.7—1947.6）》 《东北日报》社 / 编

《论政党》 翟放 / 著

《法与宪法》 韩幽桐 / 编著

《中华民国宪法刍议》 罗家衡 / 著

《民主·宪法·人权——作之民》 费孝通 / 著

《宪法论初步》 潘念之 / 著

《对反民主的抗争》 韬奋 / 著

《农村改进的理论与实际》 江恒源 / 著

《上海产业与上海职工》(上下)　　朱邦兴　胡林阁　徐声 / 合编

《陶行知教育论文选辑》　　陶行知著 / 方与严编

《中国通货膨胀论》　　杨培新 / 著

《中国及其未完成的革命》　　H·普拉特著 / 蒋天佐译

《中国的建设问题与人的训练》　　卢作孚 / 著

《论中国特殊性及其他》　　艾思奇 / 著

《中国经济问题讲话》　　钱俊瑞　徐雪寒　王渔邨　姜君辰　骆耕漠 / 合著

《中国经济的道路》　　许涤新 / 著

《中国财政之病态及其批判》　　孙怀仁 / 著

《官僚资本论》　　许涤新 / 著

《五四运动之史的评价》　　陈端志 / 著

《中国通史简编》(上下)　　中国历史研究会　范文澜 / 主编

《论文学的工农兵方向——读〈在延安文艺座谈会上的讲话〉》　雪苇 / 著

《中国近代史（上编　第一分册）》　　武波 / 编著

《文学百题》　　傅东华 / 编

《中国史学之进化》　　周谷城 / 著

《论民族形式问题》　　胡风 / 著

《论批评》　　荃麟等 / 著

《中国史纲》(第一卷上下、第二卷上下)　　翦伯赞 / 著

《近代中国思想学说史》(1–4)　　侯外庐 / 著

《中国政治思想史》（上下）　吕振羽 / 著

《中国哲学史纲要》　向林冰 / 著

《中国政治史讲话》　钱亦石 / 著

《中国社会经济史纲》　王渔邨 / 著

《新财政学大纲》　千家驹 / 著

《太平天国革命运动论文集——金田起义百周年纪念》

华北大学历史研究室 / 编

《理性与自由——文化思想批评论文集》　胡绳 / 著

《战斗者的诗人》　黄药眠 / 著

《国语文法》　曹朴 / 著

《教育哲学》　张栗原 / 著

《妇女问题讲话》　杜君慧 / 著

《婚姻 · 子女 · 继承》　沙千里 / 著

《性教育新论》　布士克　雅各生合著 / 董秋斯译

《狱中杂感》　杜重远 / 著

《七人之狱》　沙千里 / 著

《爱迪生传》　伍况甫 / 译

《歌德自传》（上下）　歌德著 / 思慕译

《尼赫鲁自传》　[印度] 尼赫鲁著 / 毕来译

《列宁传》　[苏] 凯尔任采夫著 / 企程　朔望译

《罗斯福总统传》　C．Mackenzie 著 / 张尚之译

《托尔斯泰传》（1–3）　[英] 阿尔麦 · 莫德著 / 徐迟译

《革命文豪高尔基》　［美］亚历山大·康恩著 / 韬奋编译

《鲁迅纪念特辑》　新中国文艺社 / 编

《回忆鲁迅先生》　萧红 / 著

《人民文豪鲁迅》　平心 / 著

《亡友鲁迅印象记》　许寿裳 / 著

《鲁迅思想研究》　何干之 / 著

《鲁迅研究》　夏征农 / 编

《过来的时代：鲁迅论及其他》　雪峰 / 著

《电影戏剧表演术》　洪深 / 著

《日常心理漫谈》　［美］约瑟夫·查斯特罗著 / 曾宝施译

《心理常识漫话》　朱智贤　杨云美 / 著

《读书的方法与经验》　王任叔 / 著

《美国黑人生活纪实》　［美］加德维尔　斯坦倍克著 / 董秋斯译

《初访美国》　费孝通 / 著

《事业与成功》　［美］马尔腾著 / 汪原放译

《萍踪寄语（初集）》　韬奋 / 著

《一生的幸福前途——〈生活周刊〉信箱选集》　生活书店 / 编选

《深刻的印象》　生活周刊社 / 编

《海外的感受》　生活书店编译所 / 编

ISBN 978-7-108-04692-5

9 787108 046925 >

定价：17.00元